ゆまに書房
書誌書目シリーズ125

第二巻

八戸書籍縦覧所関連資料

――日本最古級の図書館・八戸市立図書館の源流

八戸南部家書目

[編集・解説] 鈴木淳世

凡例

一、本書『八戸書籍縦覧所関連史料』は、近世八戸南部家家中の書物貸借組織から八戸市立図書館の直接の前身である明治七年（一八七四）創設の八戸書籍縦覧所に至る、蔵書目録を中心とする資料を影印版で集成し、解説を付したものである。

一、本書各巻に収録された資料は、すべて八戸市立図書館所蔵である。資料名、文書名、整理番号、形態、寸法（縦×横、単位㎜）を左記に記した。資料の通し番号①～⑮は、三巻の解説に対応している。詳しい書誌は、それをご覧いただきたい。

第一巻

① 仲間書物預順　（戸来家〈新井田〉文書55）　横長帳　九六×一八二

② 八戸仲間書物記　（荒木田家文書366）　竪帳　二三一×一七〇

③ 仲間書物目録　（中里家〈根城〉文書33）　横長帳　一七二×四八六

④ 書物改目録　（新宮家〈購入〉文書48）　横長帳　一二八×三四六

⑤ （書物目録）　（遠山家旧蔵本1-1）　横半帳　一八二×一二二

⑥ 仲間書物預本牒　（八戸南部家文書10-14-0-0-10）　横長帳　一五四×三九六

⑦ 学校江御預御書物目録　（八戸南部家文書5-10-0-0-2）　竪帳　二四〇×一七二

第二巻

⑧御書籍目録（八戸南部家文書2-12-0-0-13）　竪帳　三三四×二四二

⑨御書籍目録（南部家旧蔵本1-4）　竪帳　二七二×一九〇

⑩瓦屋根御井楼御日記入ノ御場所御本類御目録（八戸南部家文書13-1-9-0-14）　横長帳　一二二×三三〇

第三巻

⑪（書籍縦覧場設立趣意書）（逸見家〈購入〉文書10）　竪帳　二七四×一九六

⑫八戸書籍縦覧所（新宮家〈購入〉文書63）　綴　二四二×一七〇

⑬弘観舎蔵書目録（八戸市立図書館固有図書1-5）　竪帳　二六二×一九二

⑭八戸青年会寄贈書籍目録（近・現代資料7）　竪帳　二七二×一九六

⑮八戸青年会員名簿（八戸青年会文庫14-161）　竪帳　二三五×一六八

一、資料は、原則として表紙から裏表紙までを無修正で収録した。但し、影印版を作成するにあたっては、適宜縮小拡大を施した。

一、冊子に付箋が貼られてあったり、紙片が挟み込まれていた場合は、左記の原則によった。

①付箋が貼られている場合は、貼られている状態、次の見開き頁に付箋がめくられた状態を配した。また、貼られている紙片は場合によっては読めるように拡大して、次の見開き頁に示した。

②　冊子の見開き頁に挟み込まれている紙片は当該頁にあった状態、次の見開き頁にその紙片が除かれた状態を配し、紙片は①と同じく、場合により拡大して、紙片が除かれた状態の頁か、次の見開き頁に示した。

一、第一巻①の「仲間書物預順」は、付箋、はずれてしまった貼紙が多くかつ文字が小さいため、一丁の半分（一頁）を見開き頁に掲載し、丁番号と表・裏を偶数頁小口に記した。

一、第一巻⑤の「（書物目録）」は裏紙を使用しているため、原本そのものが甚だ読みにくい状態であり、後に天地を裁ち落として綴じられたため、不自然な部分もあることをご了解いただきたい。

一、第二巻の⑧と⑨は同一資料名のため、影印版の扉と柱には年次を入れて区別し、⑩の柱には角書を省略した。

一、一紙物や書状などの史料で版面に入らない場合は、いくつかの部分に分けて掲載した。その場合必ず一行はだぶらせた。

一、冊子の見開き中央のノドの部分がきつく中央が読みにくい資料はそれぞれ次の頁または前の頁に3ミリだぶらせて掲載した。そのため幾分見映えが悪くなったことはご了解下さい。

一、朱筆部分はなるべく朱筆であることを示した。

〔付記〕原本ご所蔵の八戸市立図書館には出版の御許可を賜り、製作上種々の便宜を図って頂きました。ここに特記して謝意を表します。

第二巻　目次

⑧ 御書籍目録（万延元年）

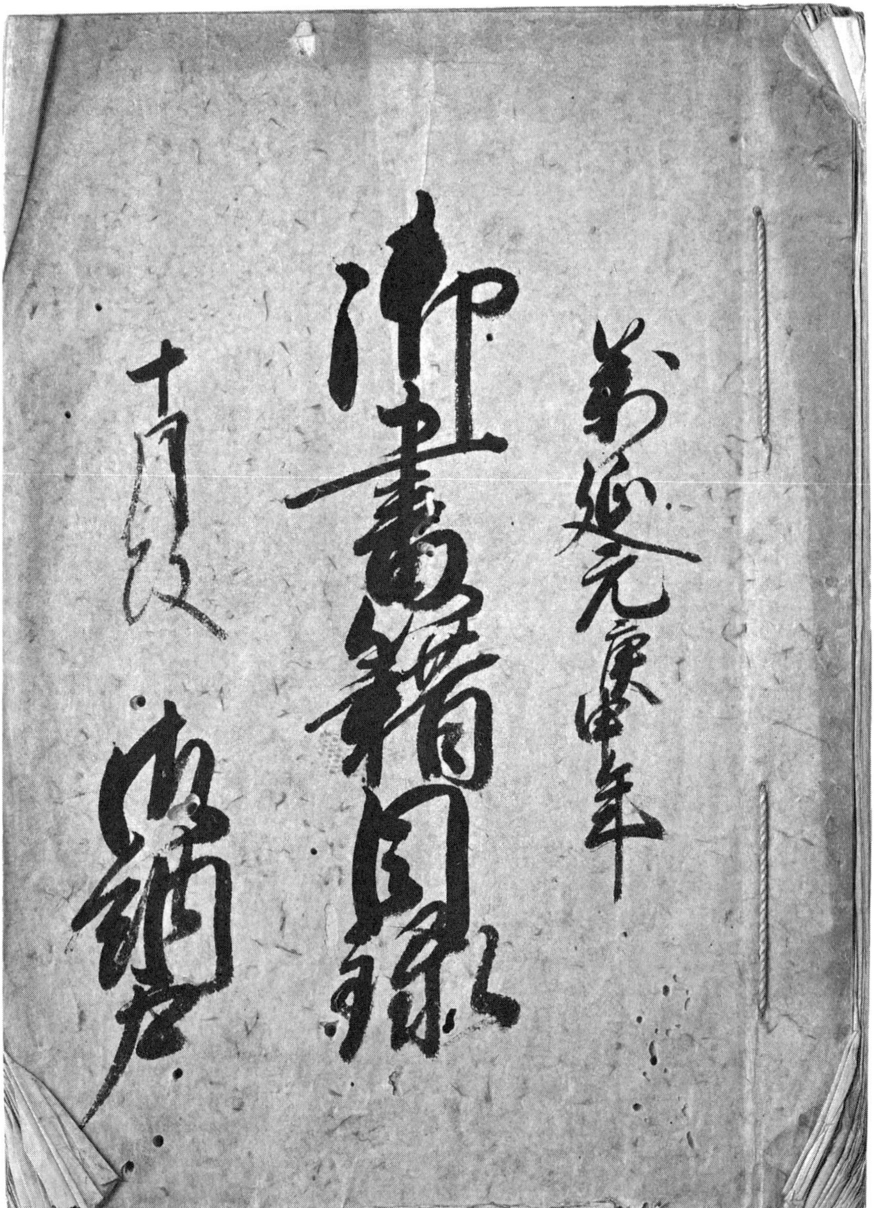
万延元庚申年
御書籍目録
十月改
御納戸

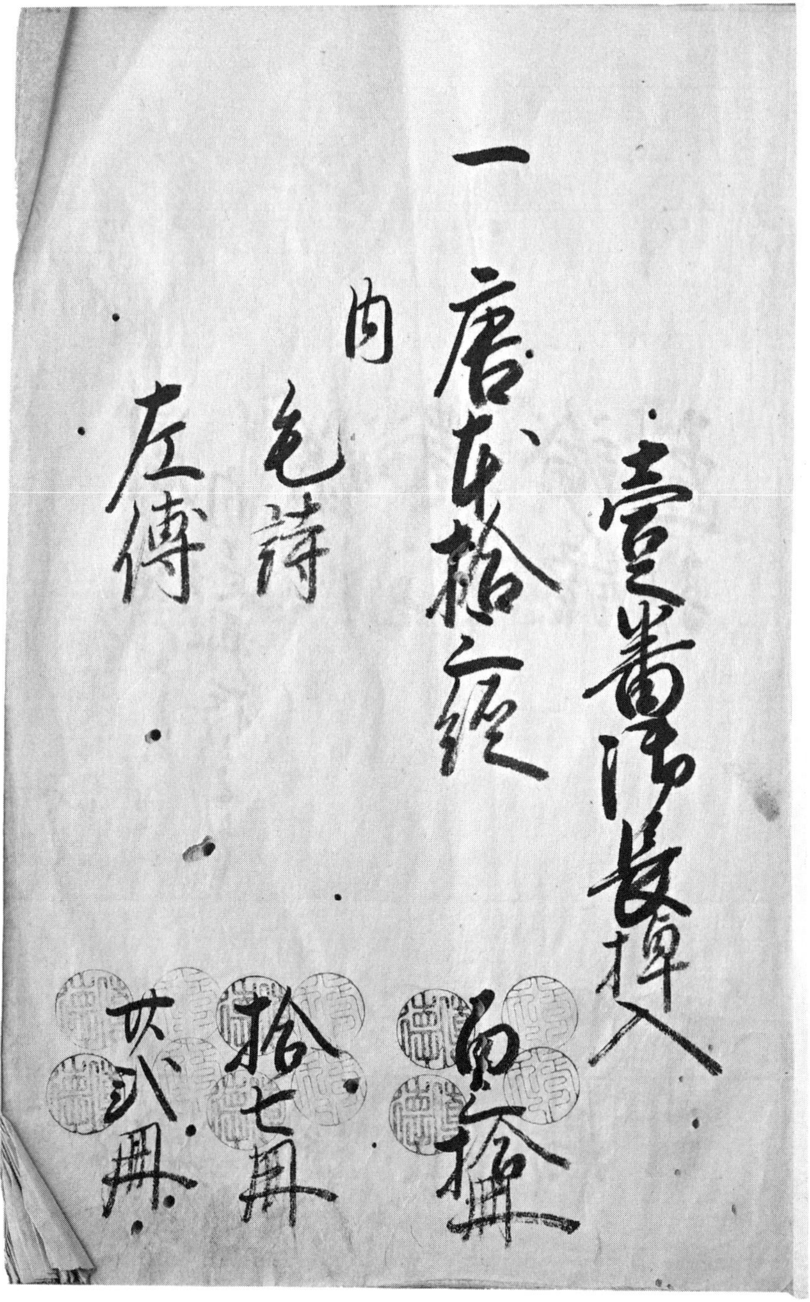

壹番御長櫃入

一唐本拾三經　四拾冊

内

毛詩　拾七冊

左傳　廿弐冊

周禮　内壱冊朽有之　拾壹冊

儀禮　拾参冊

禮記　弐拾冊

論語　四冊

孟子　七冊

孝経　壱冊
爾雅　弐冊
尚書　八冊
周易　六冊
公羊伝　拾冊

一　穀梁傳　六冊

一　甲陽軍鑑　拾冊

一　信玄全集　拾貳冊

一　三國志　弐拾冊

一　兵鏡　拾冊

一　職原鈔辨鈔　廿冊

一　諸家知譜拙記　弐冊

一　令義解　拾壱冊

一　本草綱目　廿六冊

一　増益三重韻　小　壱冊

一　萬物画本大全調法記　小横本　弐冊

一　詩文押韻要録集　小本　壱冊

一 武王川　　冊

慶應三丁卯年十二月二日
此箱入候ニ付 中野元叙 川治
旧紙ニ而相直シ申候

一 日月卦傳抄　小本　弐冊

一 七書講義　拾六冊

一 類書字彙　拾六冊

一　本草綱目　廿六冊

一　増補三重韻　小　壱冊

一　萬物画本大全調法記　小横本　弐冊

一　詩文押韻要語集　小本　壱冊

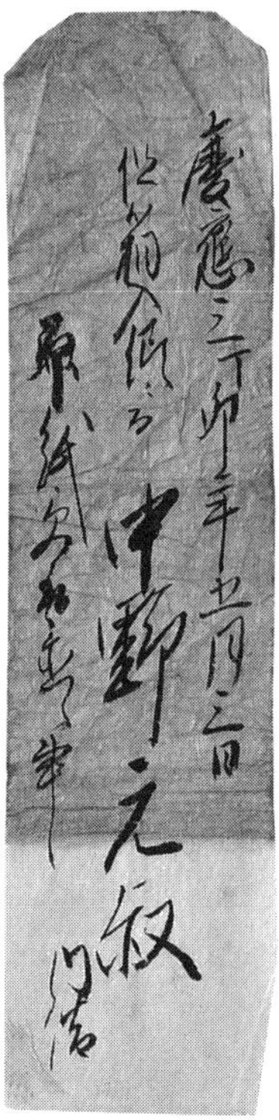
慶應三丁卯年十二月二日
中野元叔

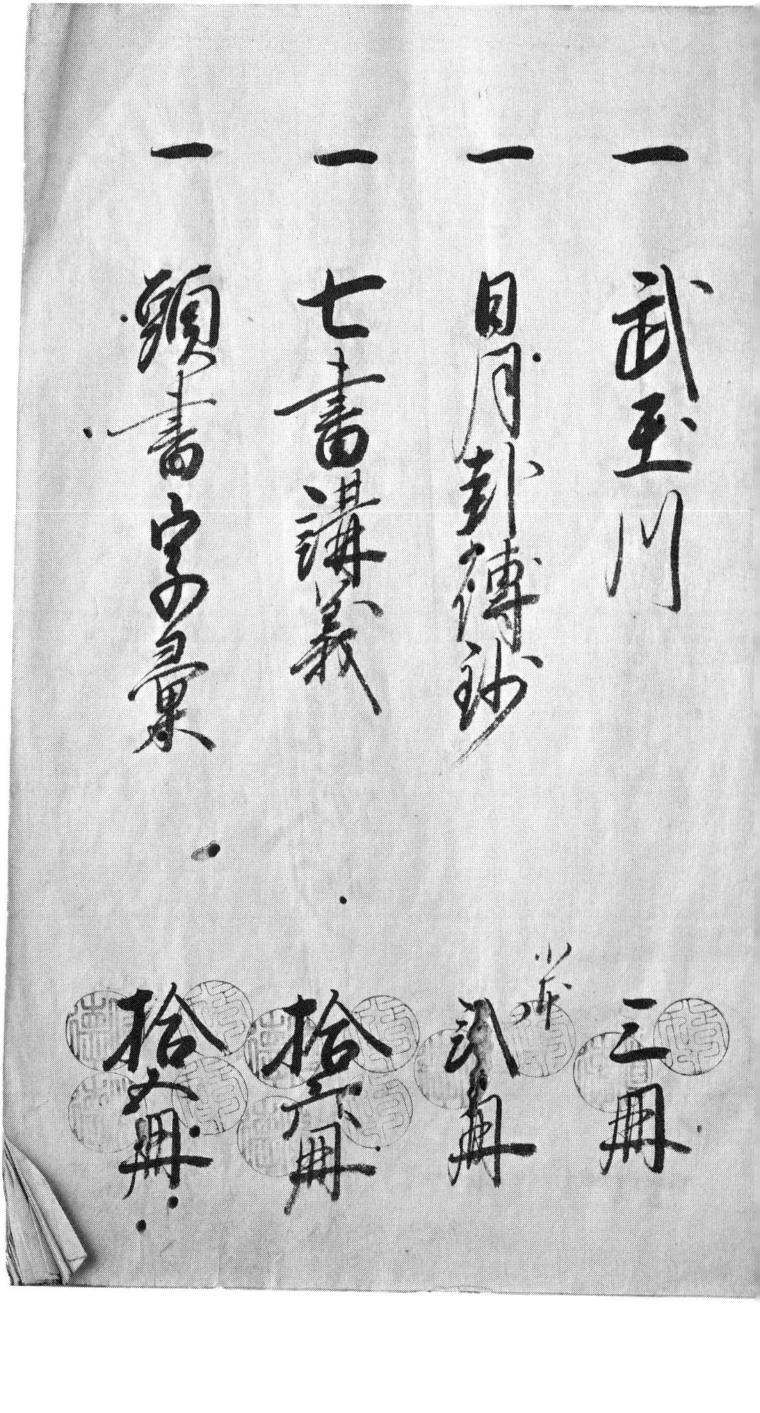
一 武玉川 三冊
一 七書講義 拾冊

一 頭書字彙　拾六冊

一 武経七書俚諺抄　拾八冊

一 平家物語　拾弐冊

一 儀禮經傳通解　三拾冊

一　合類大節用　拾冊

一　瀛奎律髓　六冊

一　詩経集註　四冊

一　日本書紀　八冊

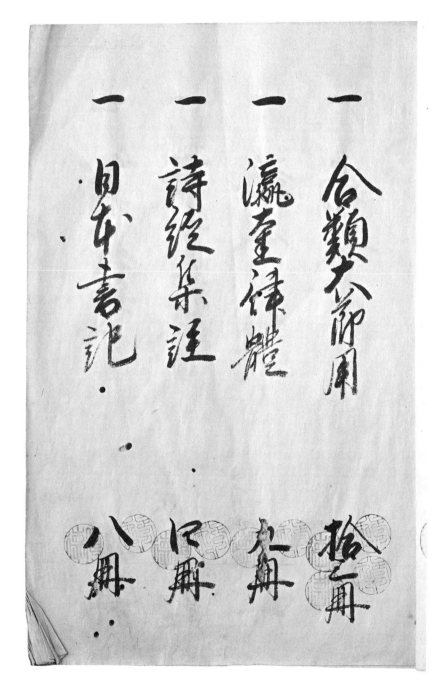

一 集義和書　拾七冊

一 事物紀原　大坂　拾弐冊

一 謡本　小本・執学　拾七冊

一 尚書　七冊

一　三重韻　小本　壱冊

一　和漢名数大全　同　壱冊

一　武教全書　七冊

一　武教小学　壱冊

一　貞観政要　六冊

一　韃靼の画　但し馬食有之　壱枚

一　大折物画鑑　大破　壱結

一　諸礼一統集　七冊

一 廣金石韻府 六冊

一 新刻蒙求 弐冊

一 古文孝経正文 壱冊

一 倭名類聚抄 十冊

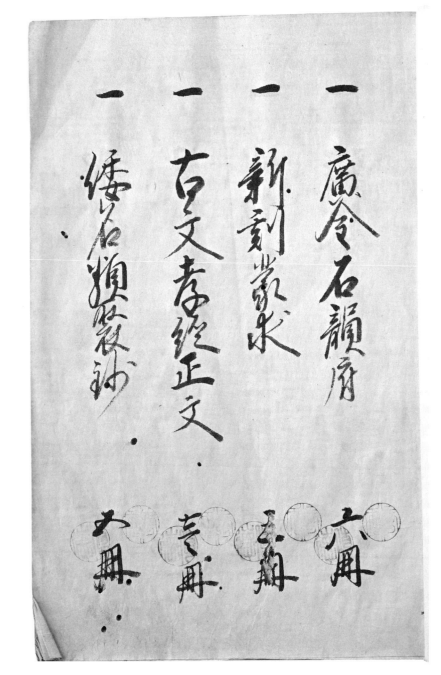

一 武射必用 四冊

一 日本記神代抄 三冊

一 日本大代一覧 今不 四冊

一 詩全 弐冊

一　楊弓射法己訣抄　壱冊

一　伊勢本社傳記　三冊

一　氏部録　壱冊

一　江路大草子　弐冊

一 尺書 明大字本三冊仍綱之石印寫本也 拾冊

一 装束要領抄 三冊

一 秋の晨 弐冊

一 十體千字文 壱冊

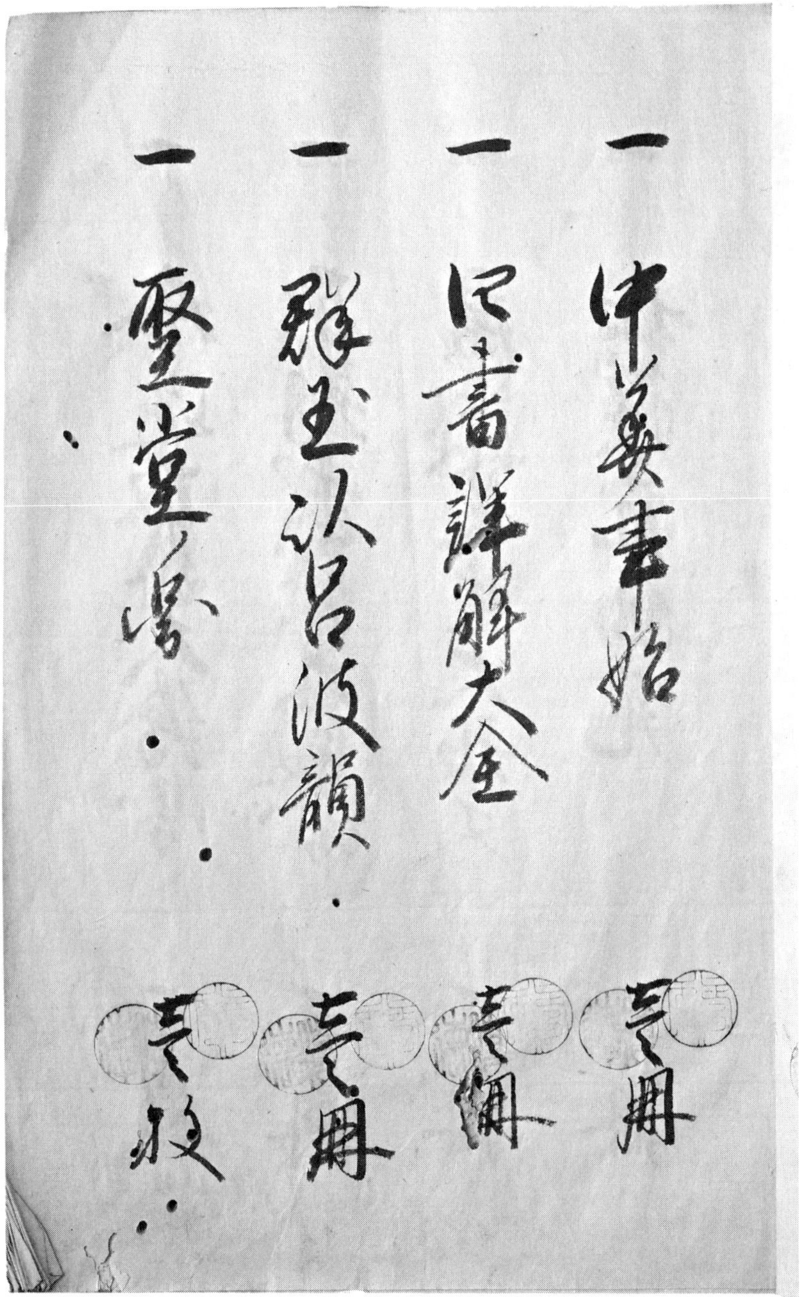
一
一 四書詳解大全 壹冊
一 群玉以呂波韻 壹冊
一 壹枚

一　合遊本紀大絵図　壱枚

一　本朝武家大系図　壱冊

一　歴代先生大和文　壱冊

一　和漢之流画苑　壱冊

一　絵本深山康　弐冊

一　三体詩　合本　壱冊

一　大略天学名目抄　壱冊

一　女手習状　壱冊

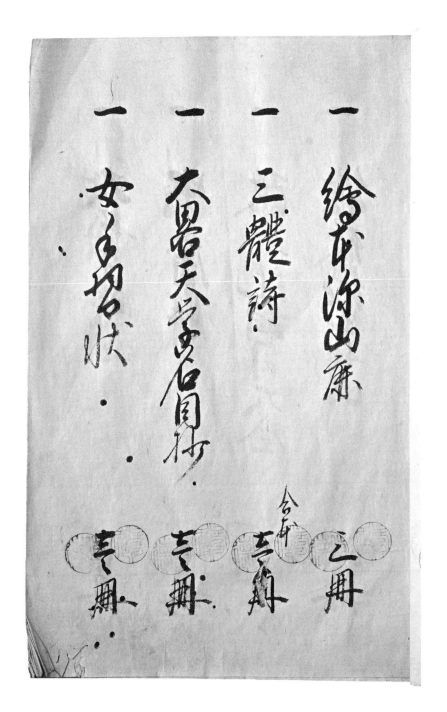

一　大学解　壱冊

一　中庸解　壱冊

一　改算記綱目大全　壱冊

一　雛形紅葉山　弐冊

一　小学　弐冊

一　孟子　七冊

一　謡本　九冊

一　押絵手鑑　三冊

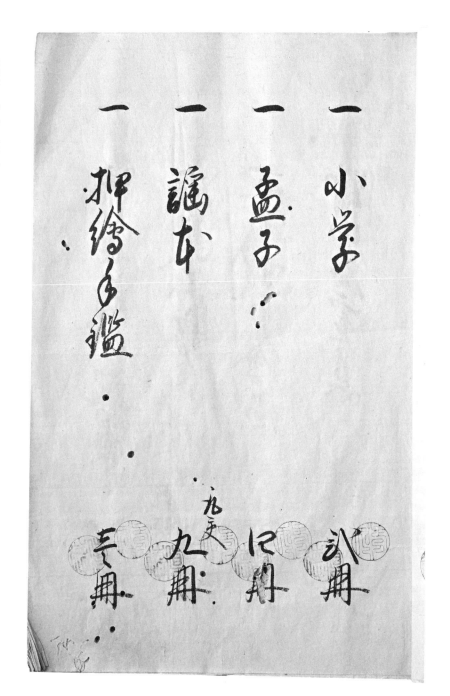

一 中華歴代記略　壹冊

一 古文真寶　壹冊

乾押

一 万歳武寶絵鑑　三冊

一 野山名霊集　七冊

一 素書 壱冊

一 三社託宣抄 壱冊

一 武馬必用 八冊

一 増補華夷通商考 壱冊

一　杜律五言集解　弐冊

一　猪苔安驥集　三冊

一　安驥集　三冊

一　馬醫全書　拾五冊

一　安驥集　弐拾壱冊

一　病論馬療大成　弐拾壱冊

一　具太郎　壱冊

一　和漢書始　合巻　壱冊

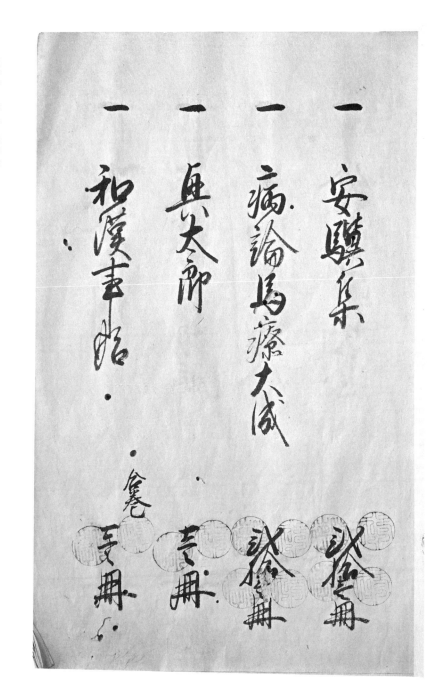

一 養生訓 八冊

一 徒然草句解 七冊

一 甲陽軍鑑全集 小本 拾冊

一 絵本通宝志 拾冊

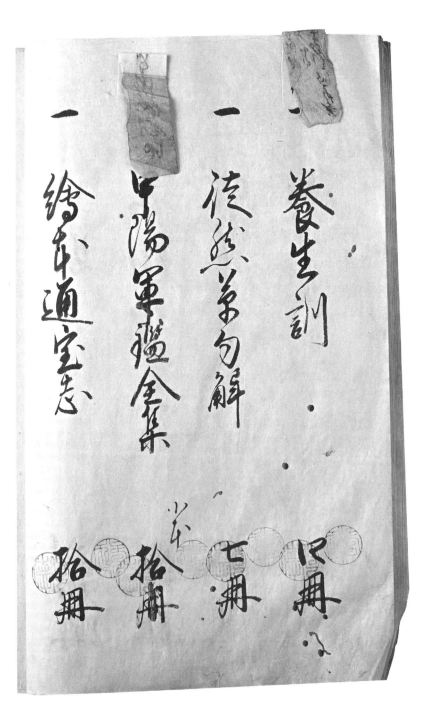

一　画巧潜覧　弐冊

一　画筌拾遺　壱冊

一　続撰清正記　七冊

一　七書抄　九冊

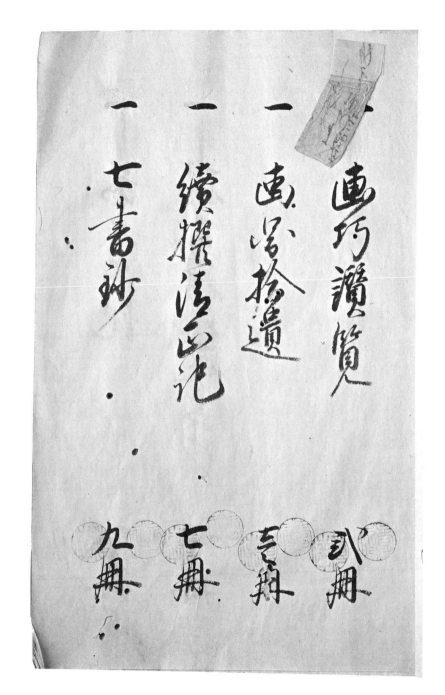

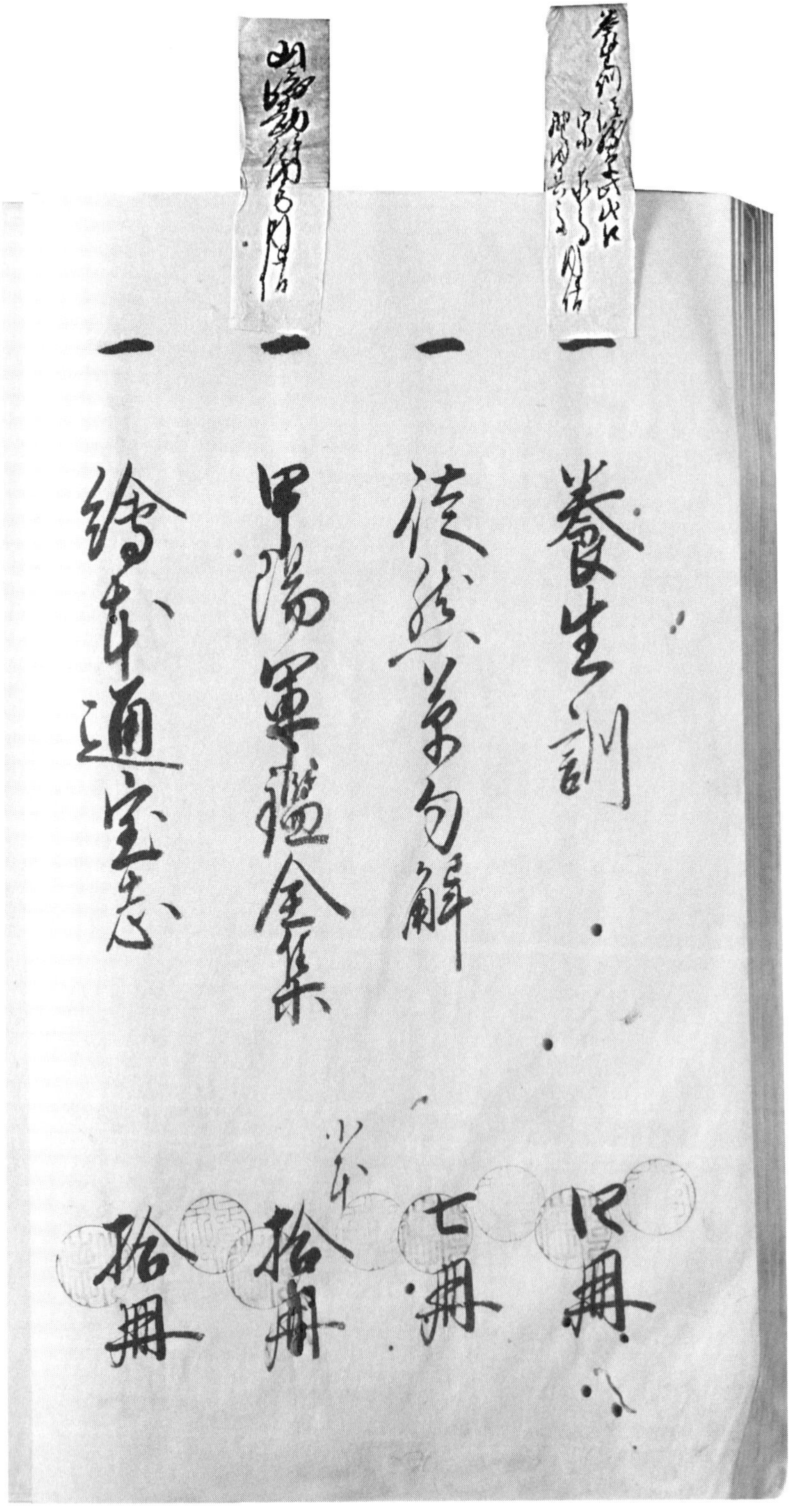

一 養生訓 八冊

一 徒然草句解 七冊

一 甲陽軍鑑全集 小本 拾冊

一 絵本通宝志 拾冊

一　画巧潜覧　弐冊

一　画筌拾遺　壱冊

一　續撰清正記　七冊

一　七書抄　九冊

一　養生訓

一　徒然、草句解

一　甲陽軍鑑全集

一　繪本、通宝志、

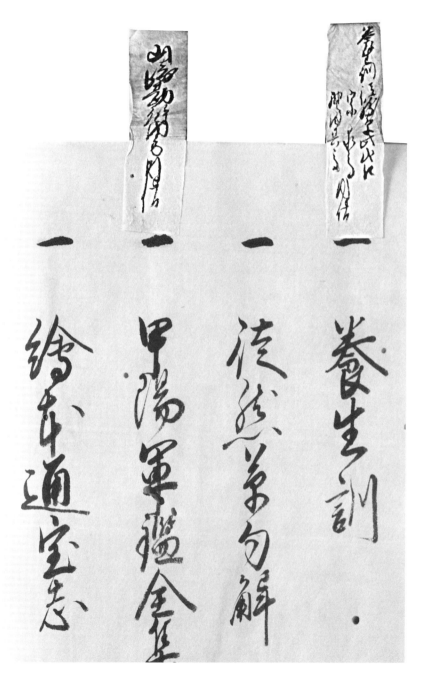

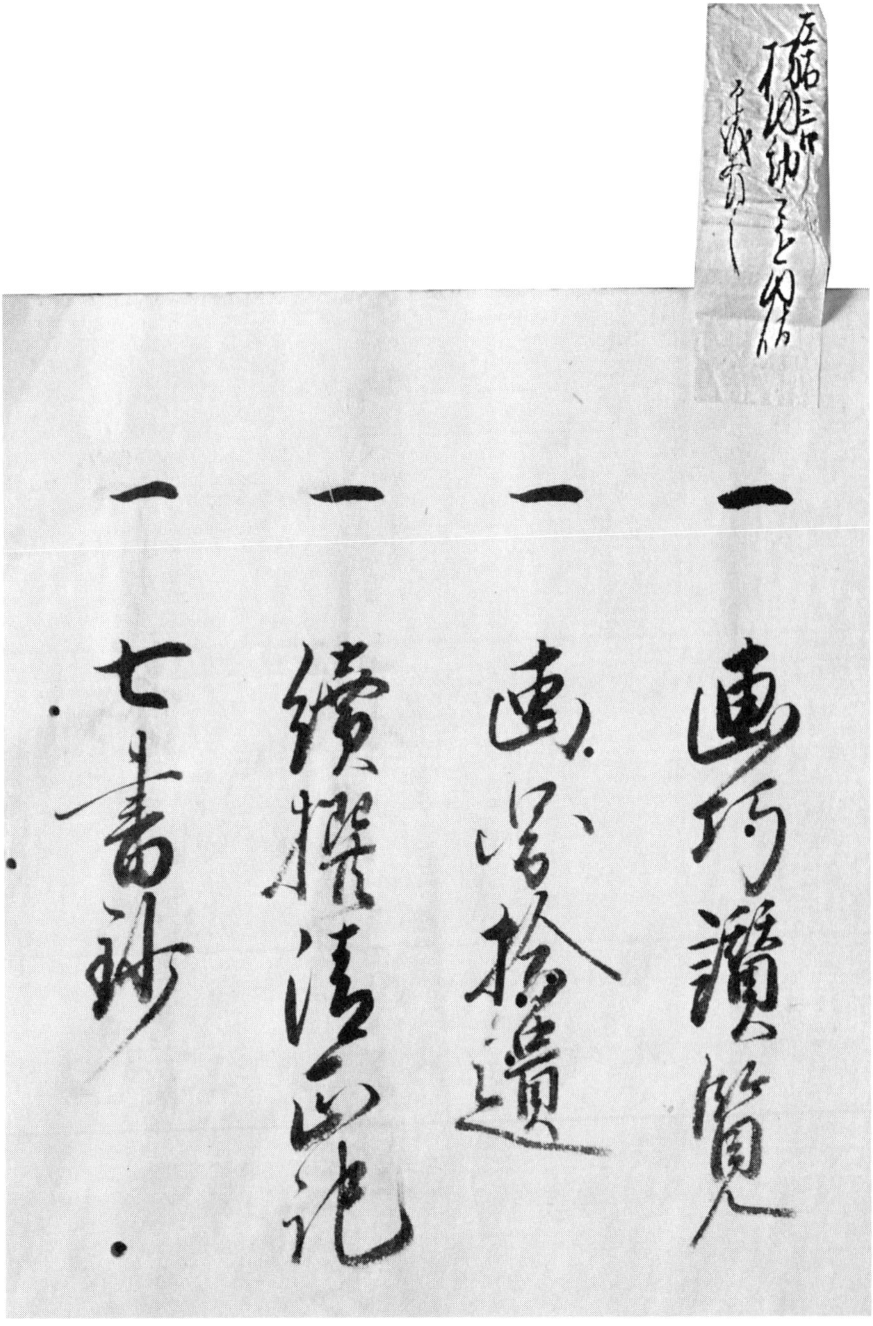

一　画巧潜覧

一　画図拾遺

一　続撰清正記

一　七書抄

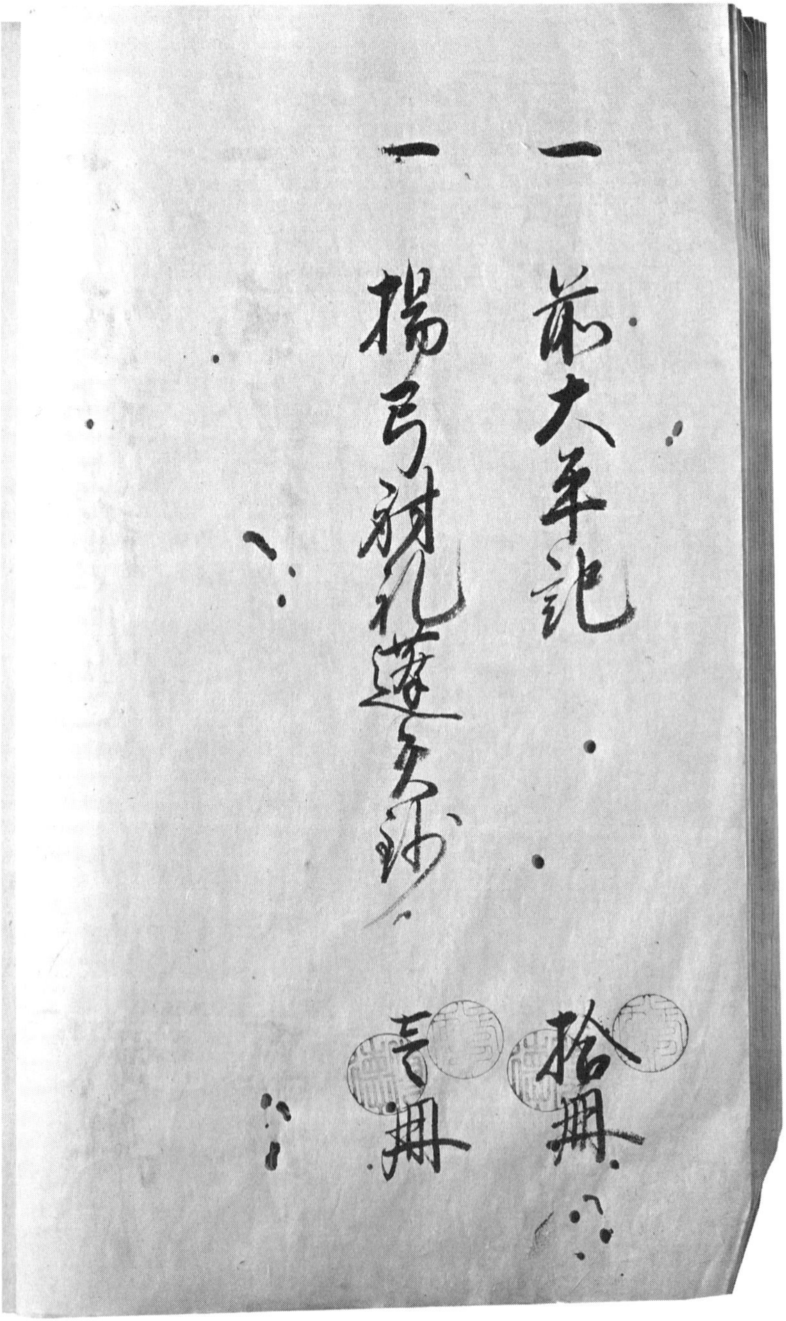

一　前大平記　拾冊

一　揚弓射礼蓬左抄　壱冊

○以下白紙につき2丁省略した。

内箱入　壱弐番

一　二十一史

内　史記　拾六冊

前漢書　廿四冊

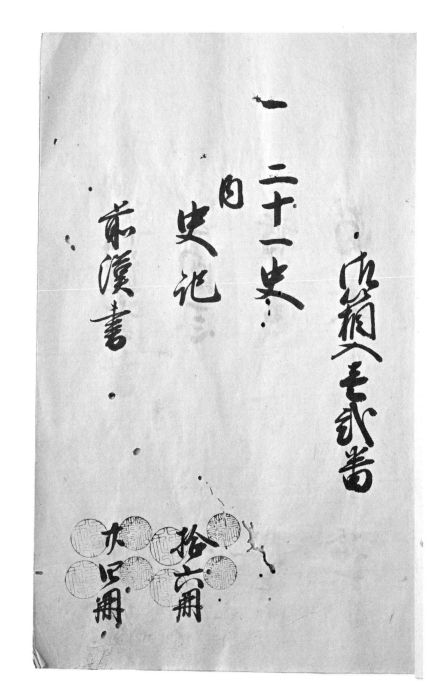

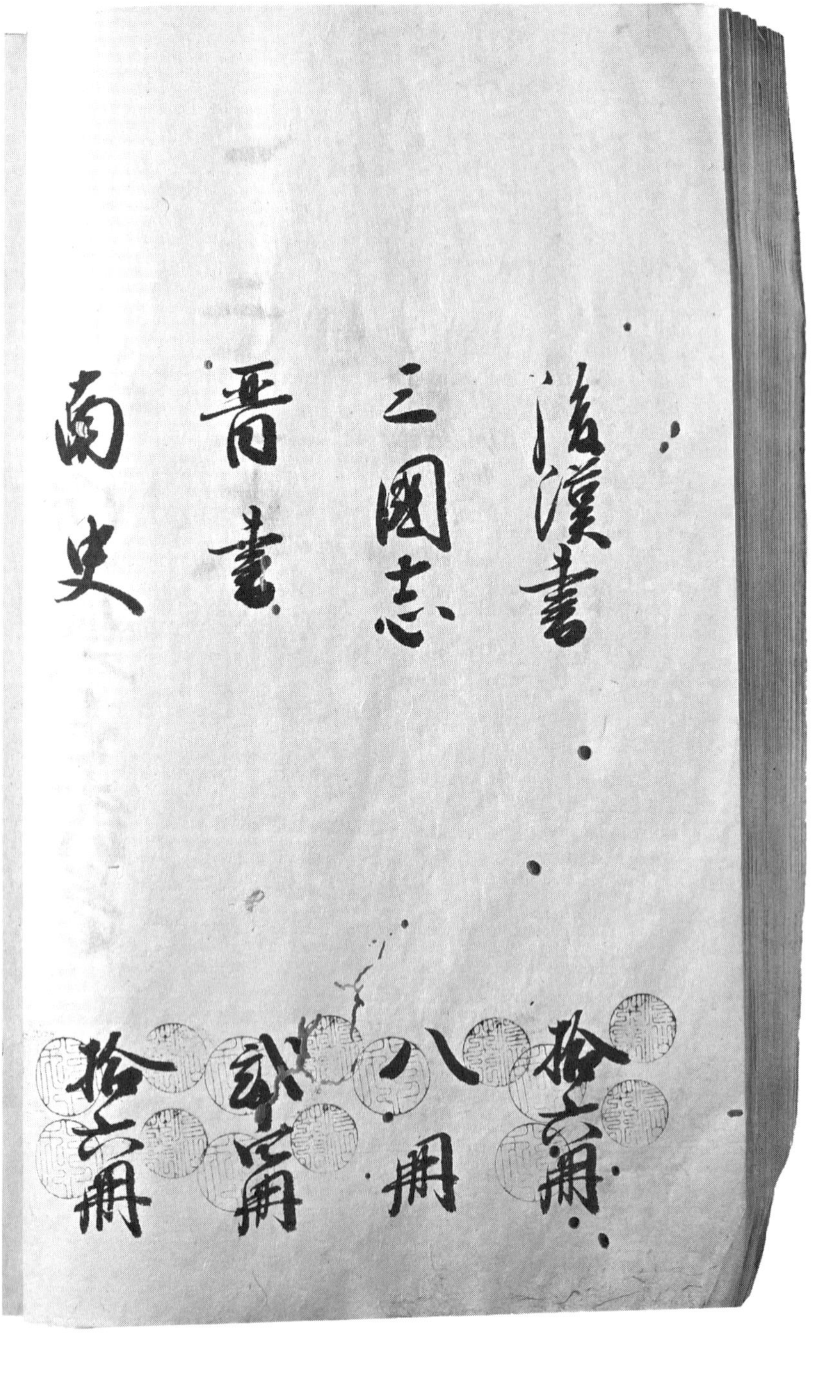

後漢書　拾六冊

三國志　八冊

晉書　貳拾冊

南史　拾六冊

宋書　拾六冊

南斉書北斉書　拾冊

梁書　八冊

陳書周書　八冊

北史　卆四冊

魏書　卆四冊

隋書　拾六冊

唐書　四拾冊

五代史　六冊

東都事略　拾六冊

南宋　拾冊

契丹國史大金國史　六冊

元史類篇　拾六冊

舊五代史　拾六冊

一弐拾部　壱百弐拾冊　安政三辰年

八月被成令献上

三之書

一 唐本五經大全　七十册

内

春秋　拾九册

書經　拾册

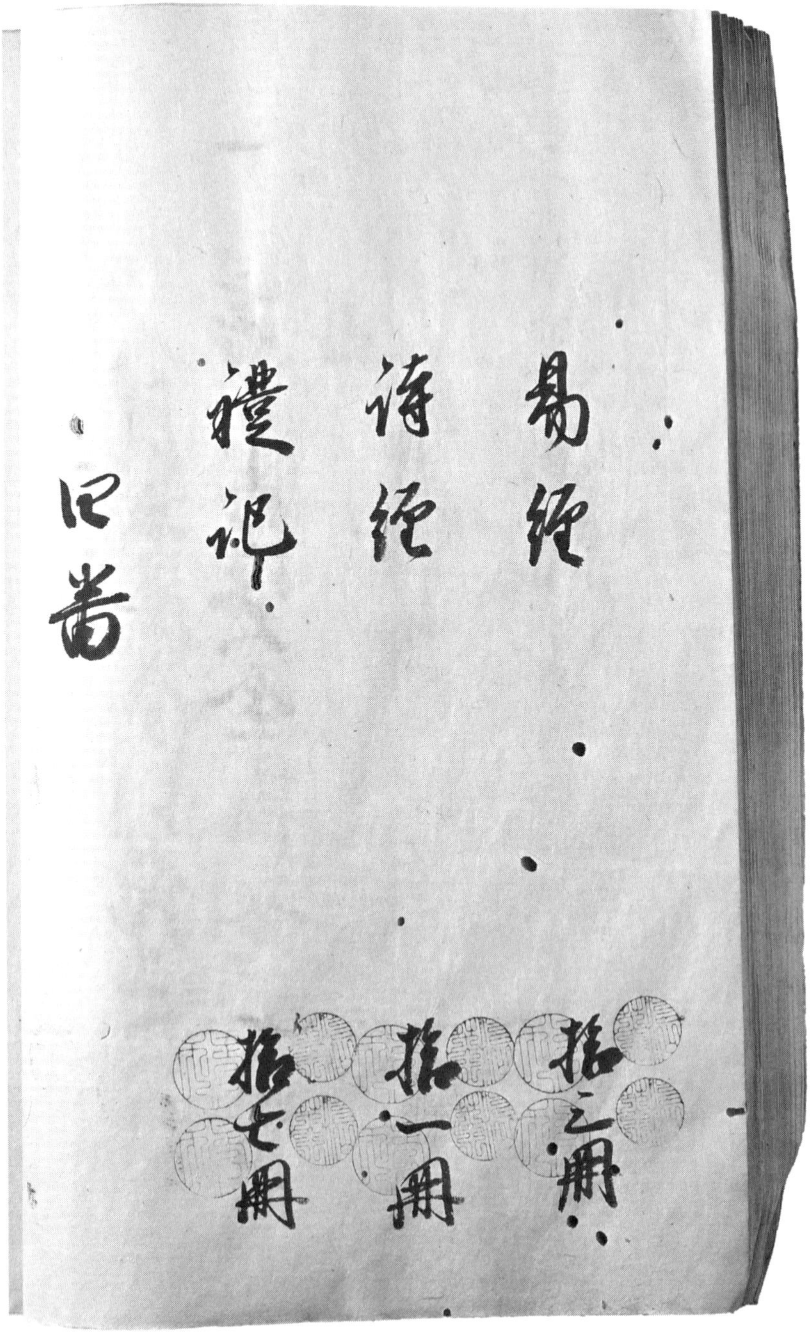
易經 拾二冊
詩經 拾一冊
禮記 拾七冊
巳番

一　唐本七書標題儀　六冊

一　同軍書國史合攷　拾弐冊

一　同軍書二宗約録　拾冊

一　同軍書大成　拾弐冊

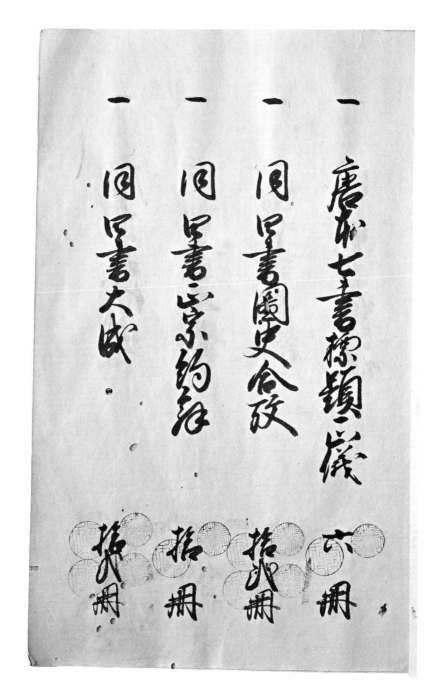

一 唐本五代史　拾弐冊

一 同 四書大全　弐拾冊

一 同 七書直解　八冊

一 同 四書翼註　六冊

又書

一　民家童蒙解　又冊

一　宇治拾遺物語　拾冊

一　豊葦原紀四州　巳冊

一　改算記綱目　二冊

一　大増補改算記綱目大全　壱冊

一　蒙学初問　八冊

一　紙芸　八冊

一　四書　　小本　拾冊

一　断易指南抄　　拾冊

一　和漢年代記　二巻目不足　　端本　八冊

一　為学初問　　四冊

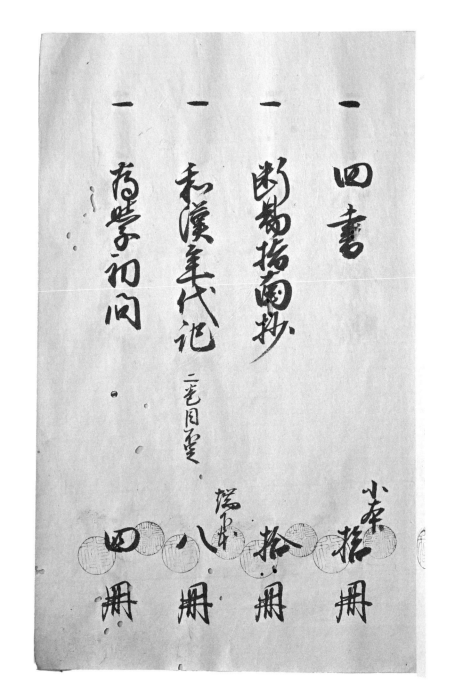

一　天経或問　　三冊

一　六書

一　多識活法　　参冊

一　武用辨略　改更　八冊

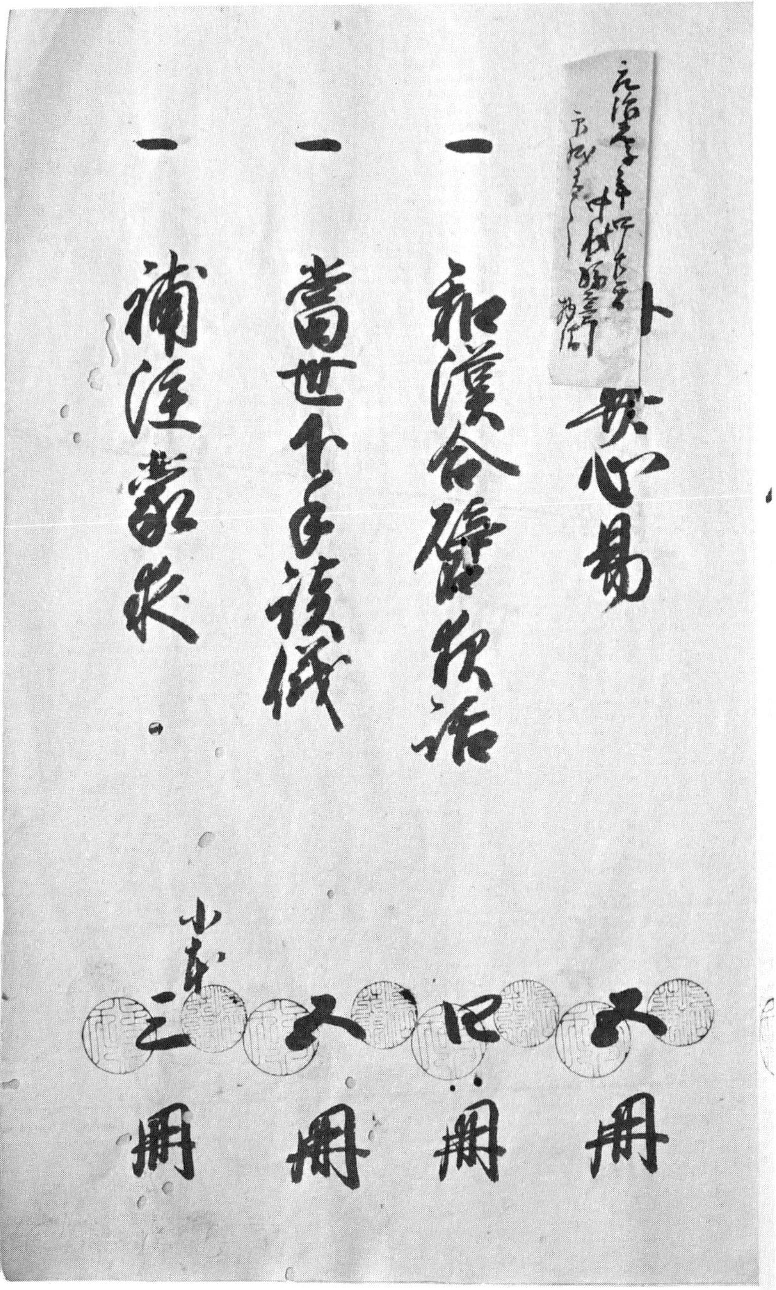
一 卜筮心易 六冊
一 和漢合 四冊
一 當世下手談儀 六冊
一 補注蒙求 小本 三冊

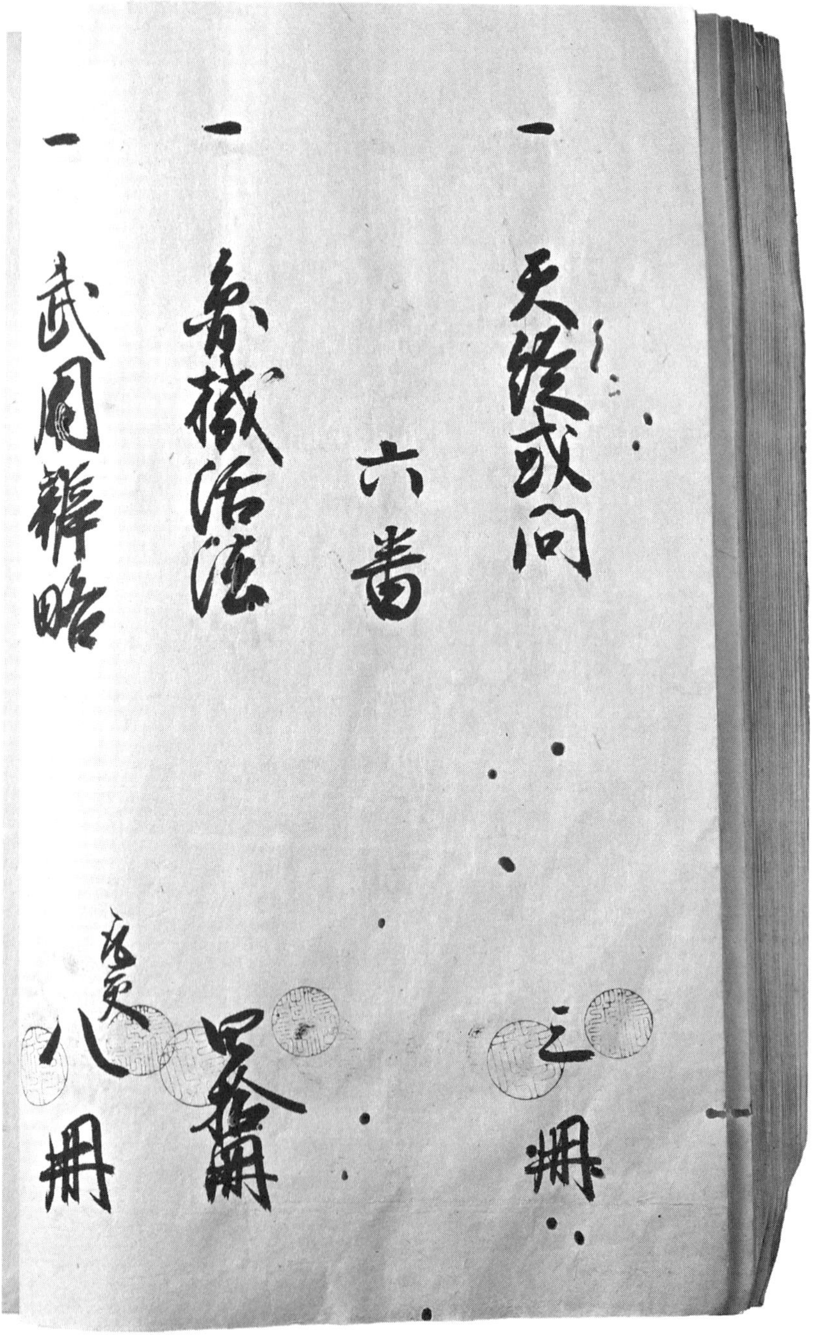
一　天経或問　之冊

六書

一　発微活法

一　武用弁略　改吏　八冊

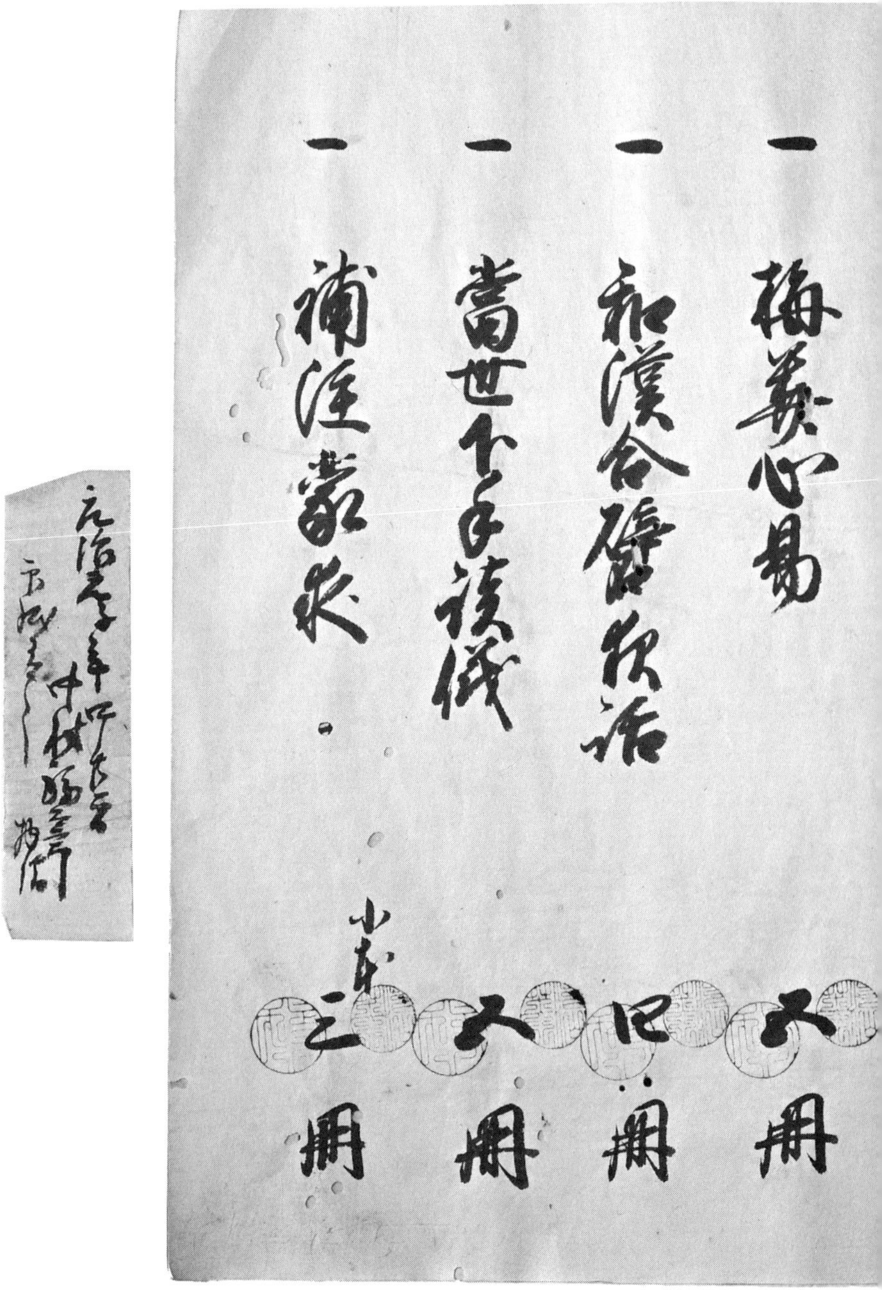
一 梅花心易 六冊
一 和漢合璧類語 七冊
一 當世千字讀俄 六冊
一 補注蒙求 小本 三冊

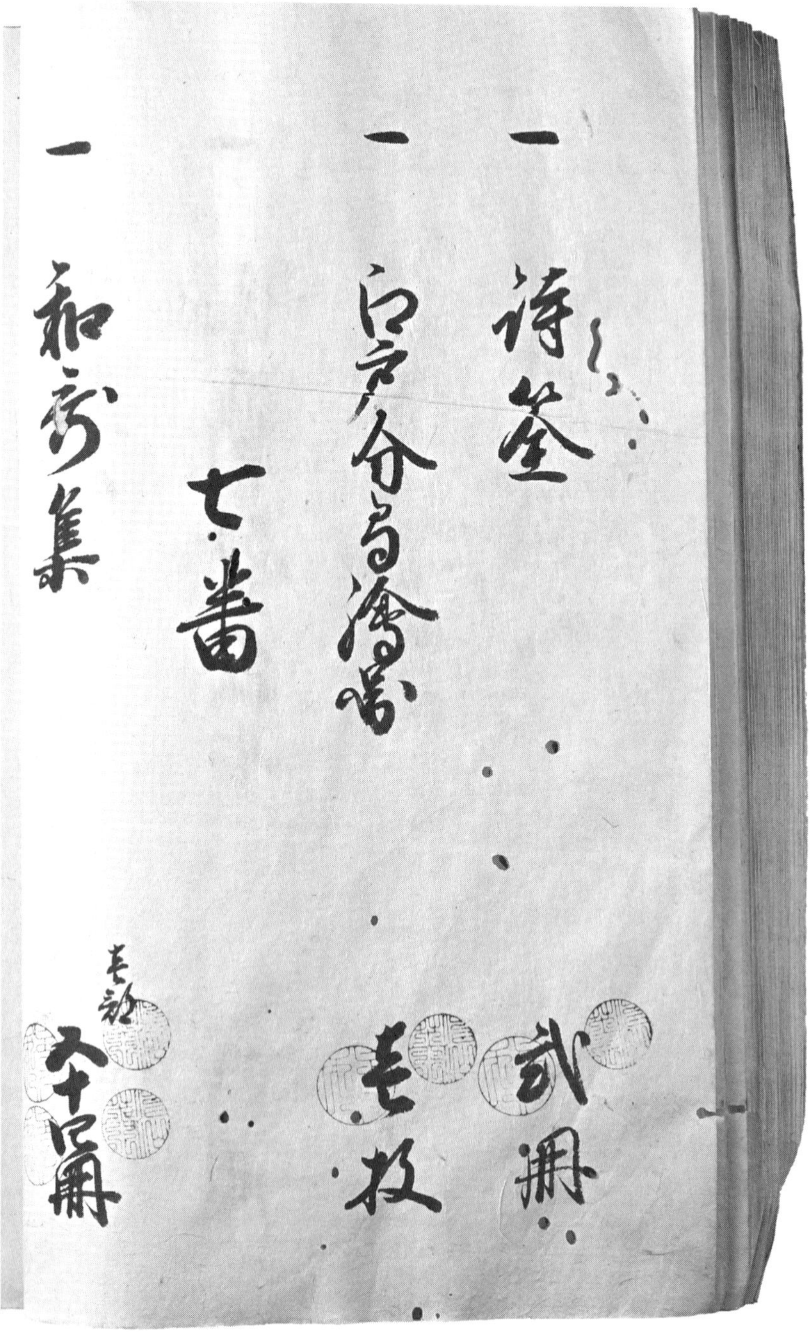
一 詩箋 弐冊
壱枚
一 和歌集

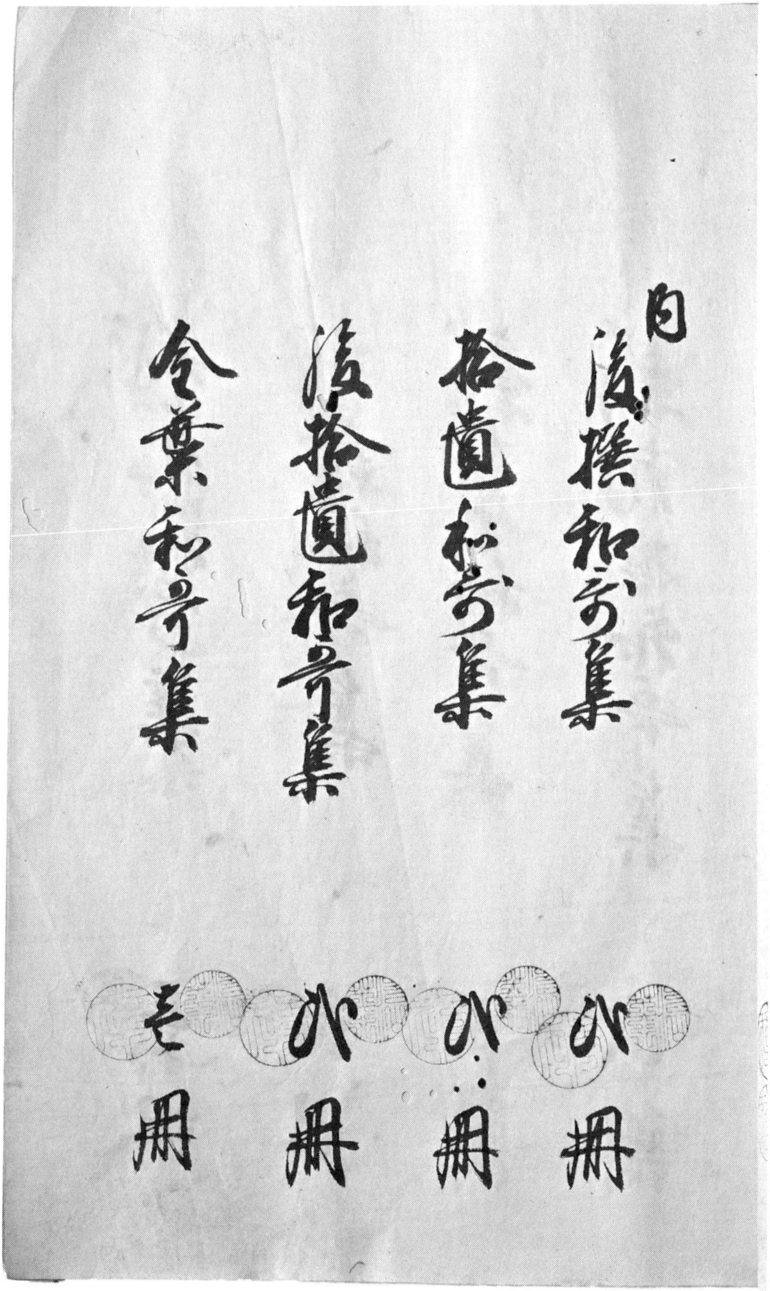
同
後撰和歌集　八冊
拾遺和歌集　八冊
後拾遺和哥集　八冊
金葉和哥集　壱冊

詞花和歌集　壱冊

千載和歌集　弐冊

新古今和歌集　四冊

新勅撰和歌集　弐冊

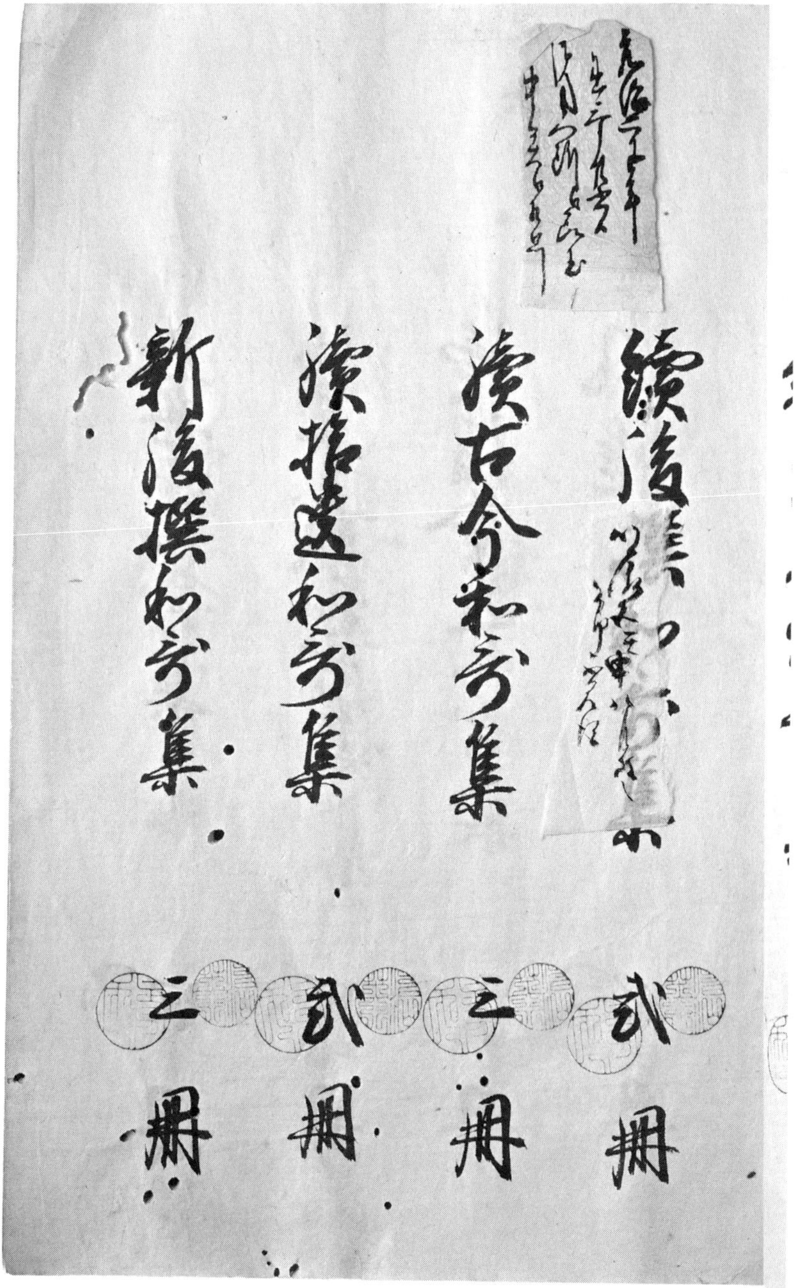

續後撰和歌集　弐冊
續古今和歌集　三冊
續拾遺和歌集　弐冊
新後撰和歌集　三冊

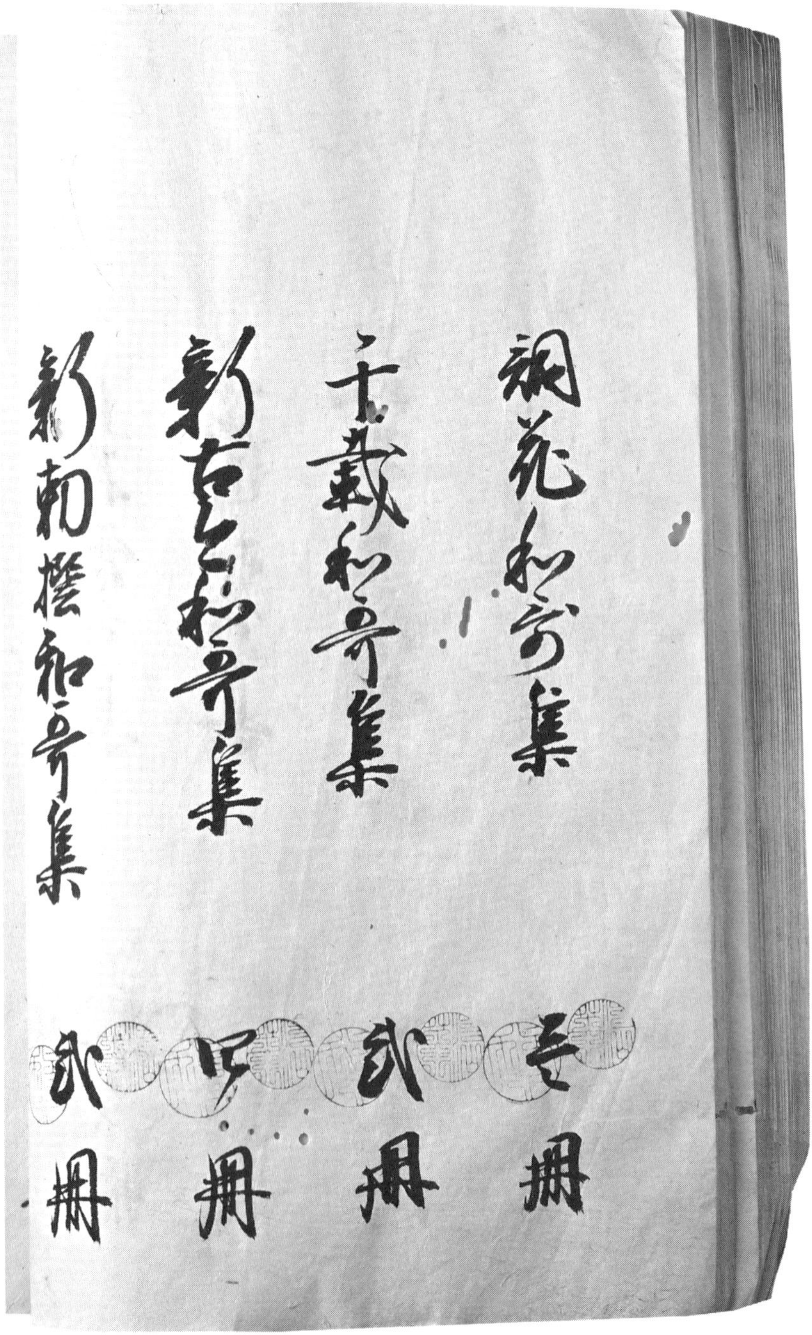

詞花和歌集　壱冊

千載和歌集　弐冊

新古今和歌集　四冊

新勅撰和歌集　弐冊

續後撰和哥集　弐冊

續古今和哥集　三冊

續拾遺和哥集　弐冊

新後撰和哥集　三冊

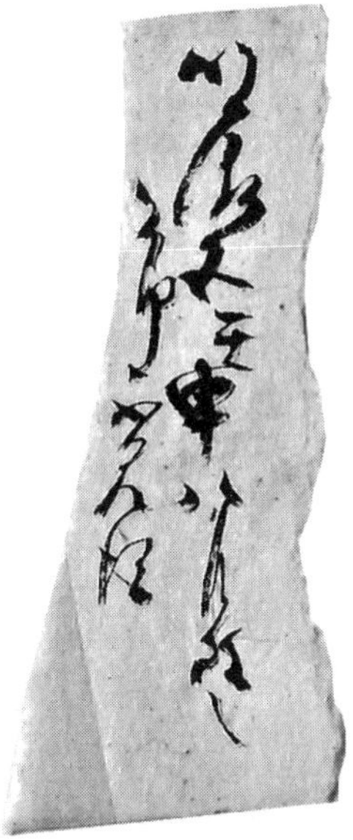

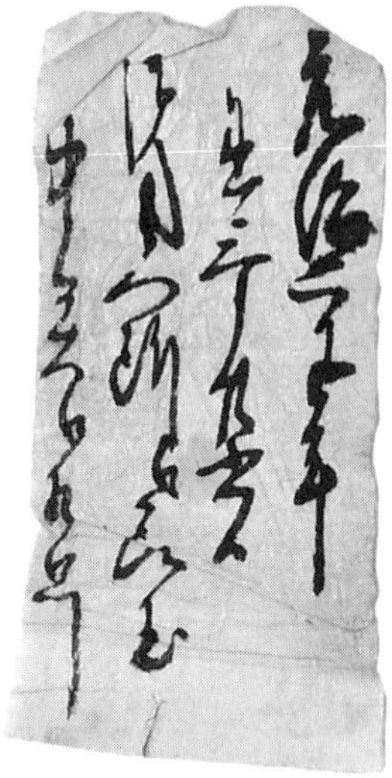

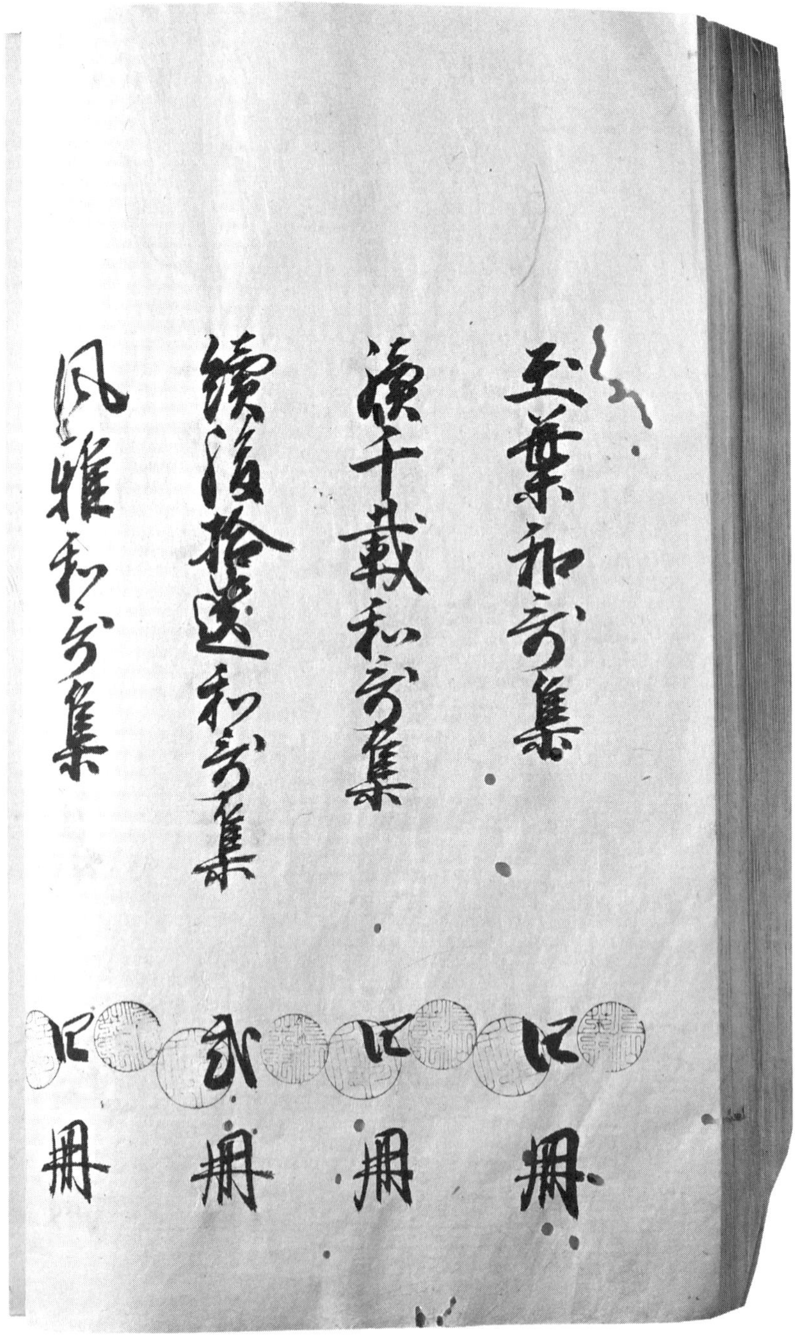

万葉和歌集　壱冊
續千載和歌集　壱冊
續後拾遺和歌集　弐冊
風雅和歌集　壱冊

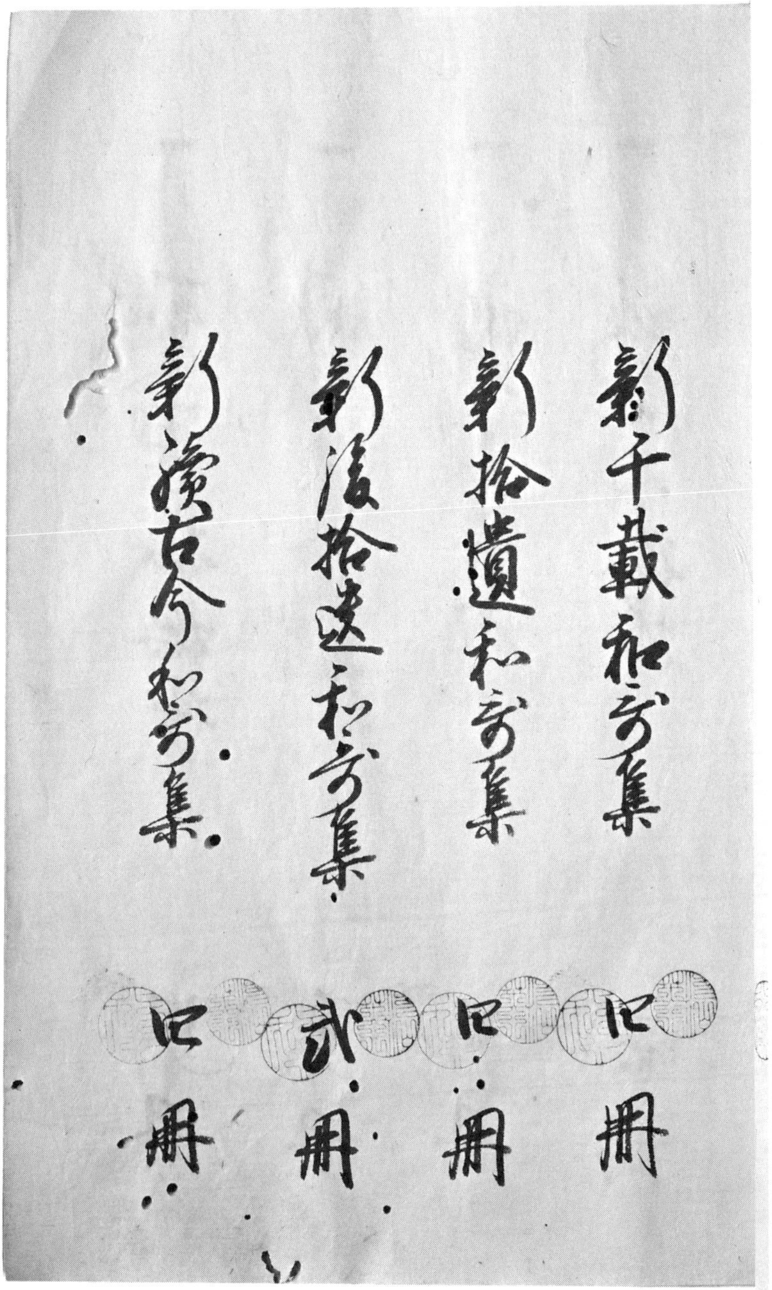
新千載和歌集　二冊

新拾遺和歌集　二冊

新後拾遺和歌集　弐冊

新続古今和歌集　二冊

一　百人一首拾穂抄　四冊

一　同　壱冊

一　初学和哥式　七冊

一　詠哥大概抄　壱冊

一　同　　三冊

一　和漢朗詠集　　弐冊

一　和哥八重垣　　小本　七冊

一　雑和集　　三冊

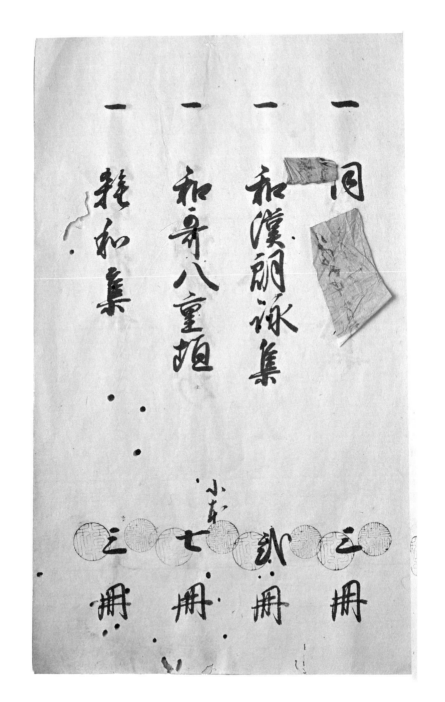

一　百人一首稽穂抄　五冊

一　同　　壱冊

一　初学和哥式　七冊

一　詠哥大概抄　壱冊

一　同　三冊

一　和漢朗詠集　弐冊

一　和哥八重垣　小本 七冊

一　雑和集　三冊

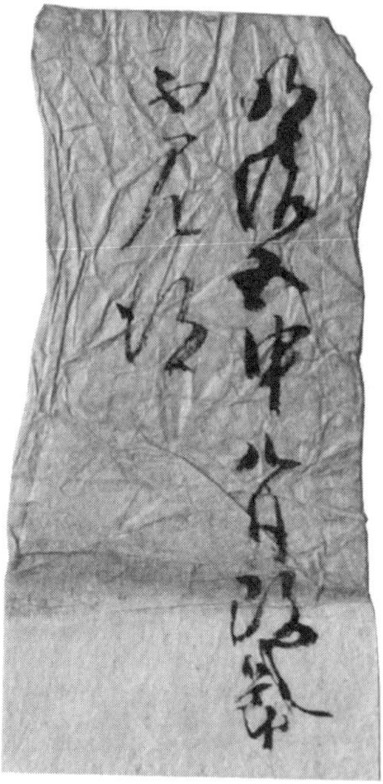

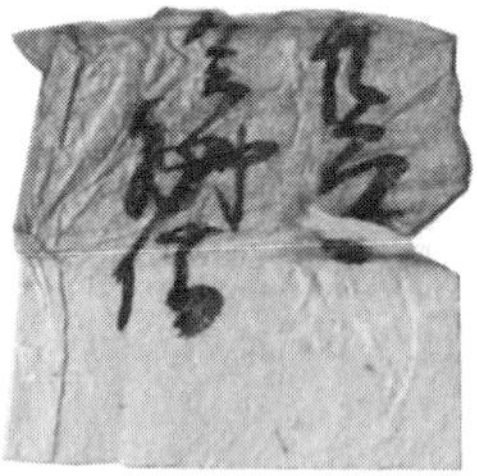

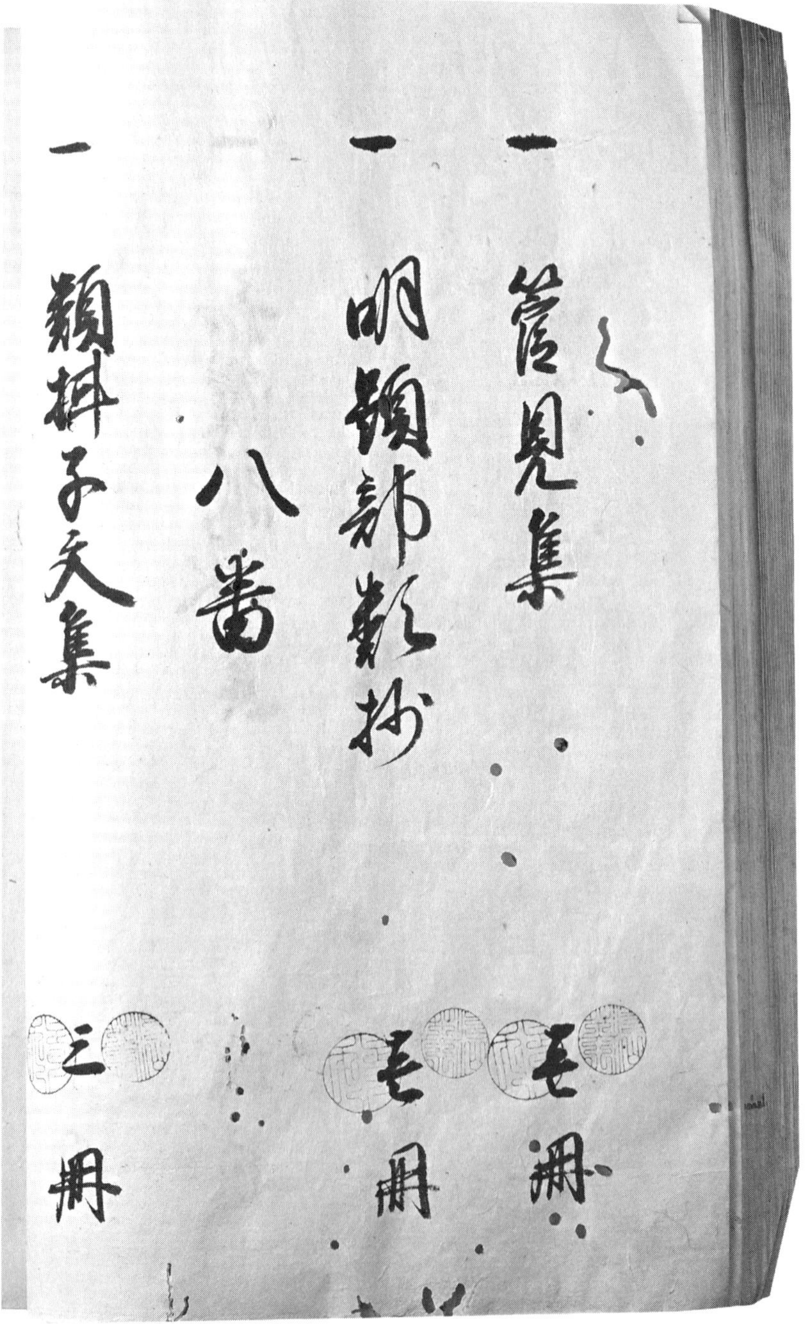

一 管見集 壱冊

一 明題部類抄 壱冊

八番

一 類耕子天集 三冊

一 古語深秘抄 九冊

一 前栽秋風寝覚 八冊

一 同 八冊

一 籬のもと 三冊

一　鴫立沢談本　　壱冊

一　豊饒落話　　弐冊

一　阿呆之讀　　壱冊

一　農談要略　　合本　壱冊

一 中庸只綱目　弐冊

一 附合小鏡　当
壱冊

一 枝葉集　壱冊

一 百人一首拾穂抄　四冊

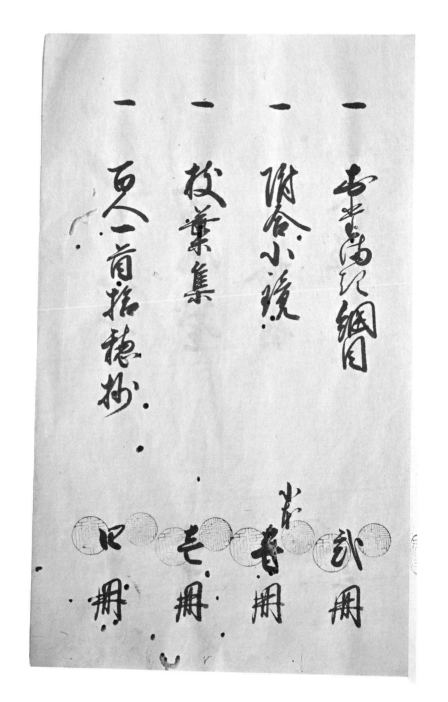

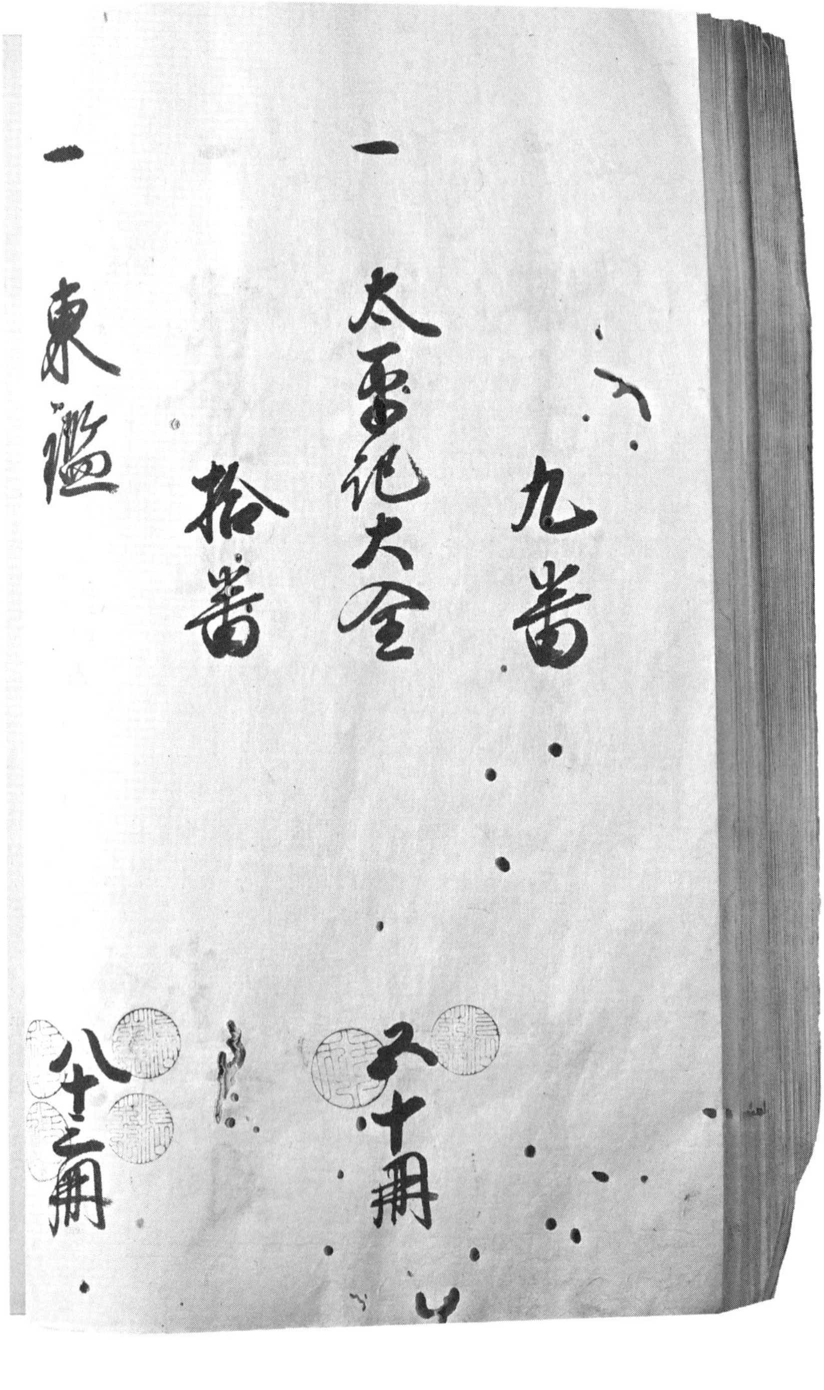

九番
一　太平記大全　五十冊
拾番
一　東鑑　八十二冊

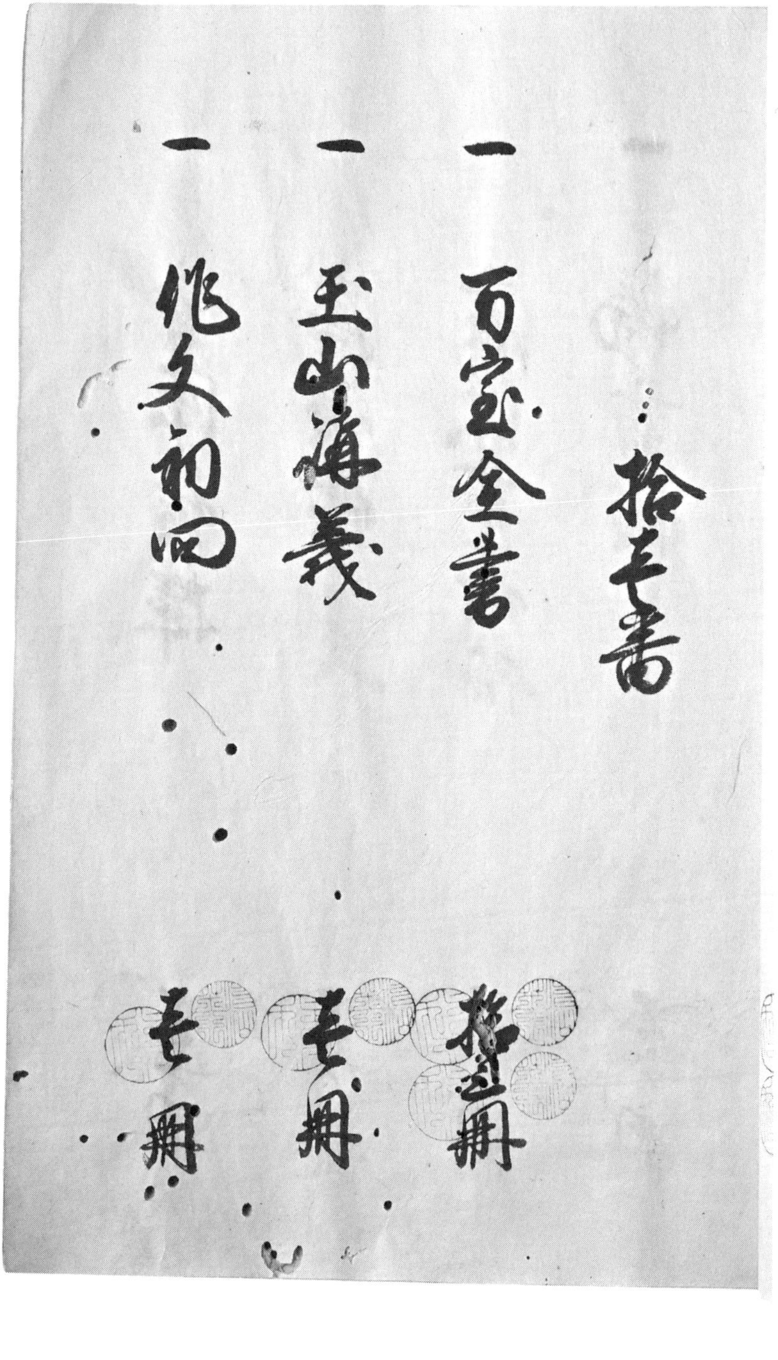
一 拾七書 拾弐冊
一 百宝全書 壱冊
一 玉山講義 壱冊
一 作文初問 壱冊

一 書法発揮　壱冊

一 唐詩帖　壱冊

一 廣沢古詩帖　壱冊

一 楷書帖　壱冊

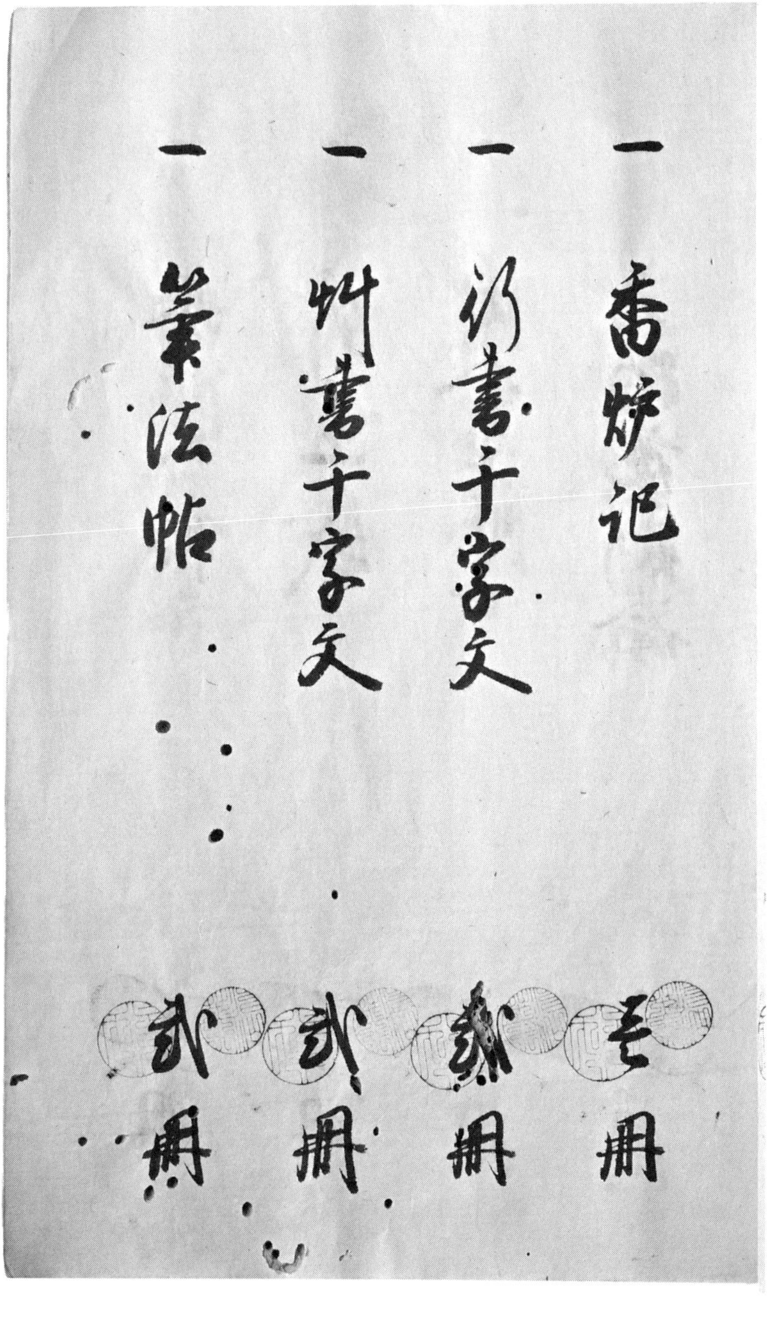

一　香炉記　壹冊

一　行書千字文　貳冊

一　草書千字文　貳冊

一　筆法帖　貳冊

一　奉天帖　壱冊

一　夕立紙　壱冊

一　田舎荘子　四冊

一　天狗藝術論　四冊

一 藝術二葉始 弐冊

一 家道訓 参冊

一 堪忍記 壱冊

一 南浦文集 三冊

四冊

一　奉天帖　壱冊

一　夕芝紙　壱冊

一　田舎荘子　陸冊

一　天狗藝術論　四冊

一　藝術二葉始　弐冊

一　家道訓　参冊

一　慎思記　壱冊

一　南浦文集　三冊

四冊
[illegible]

一 奉天帖

一 夕之絵

一 田舎荘子

一 天狗藝術論

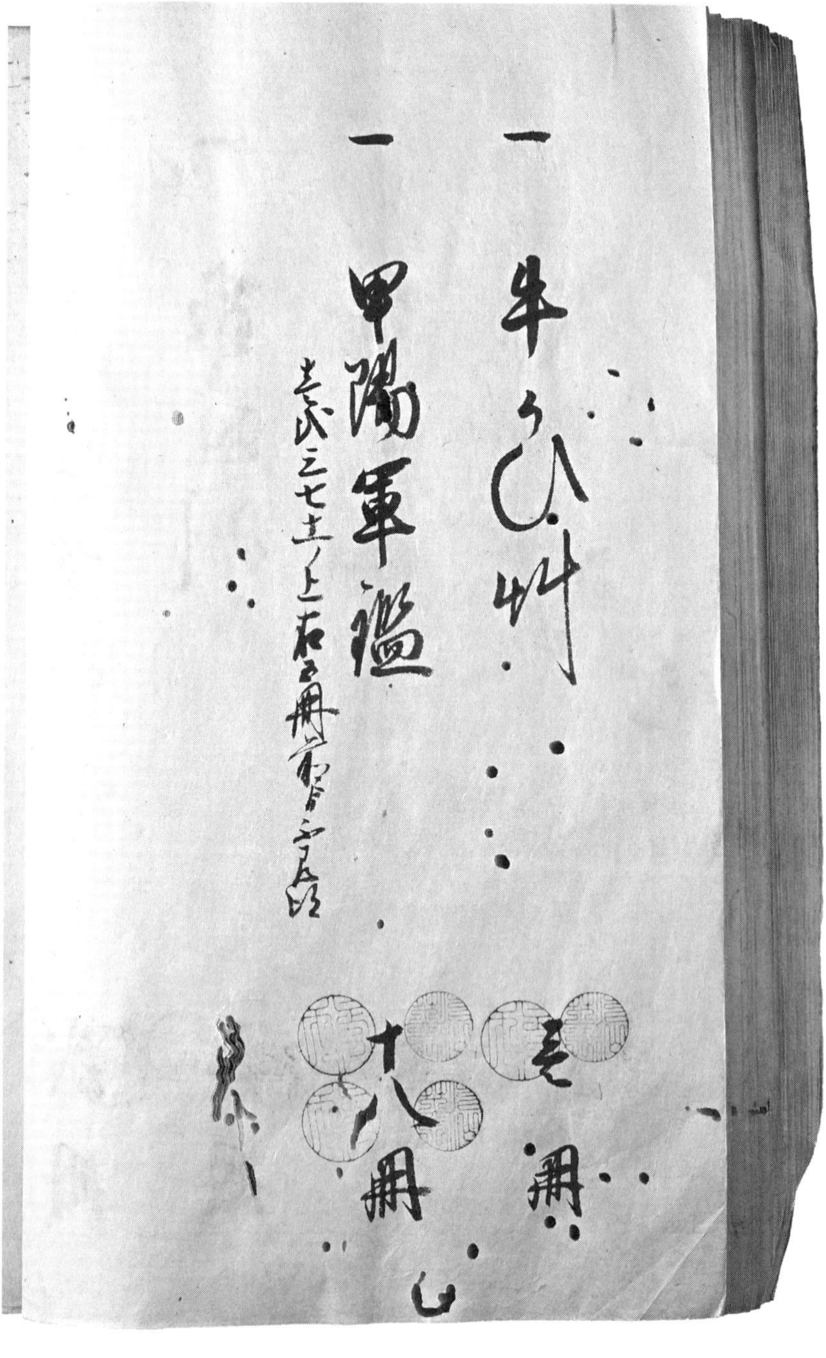
甲陽軍鑑
十八冊

番外

一　孔子家語　弐冊

一　稽古録　八冊

一　貞観政要　拾冊

一　大戴禮　弐冊

一　穀梁傳　七冊

一　公羊傳　十冊

一　孔叢子　三冊

一 淮南子 六冊

一 白虎通 弐冊

一 風俗通 弐冊

一 爾雅注疏 六冊

一　管子　拾二冊

一　晏子春秋　二冊

一　墨子　六冊

一　春秋集註　拾六冊

一　易經大全　拾冊

一　書經大全　拾壹冊

一　詩經大全　廿二冊

一　禮記大全　三拾冊

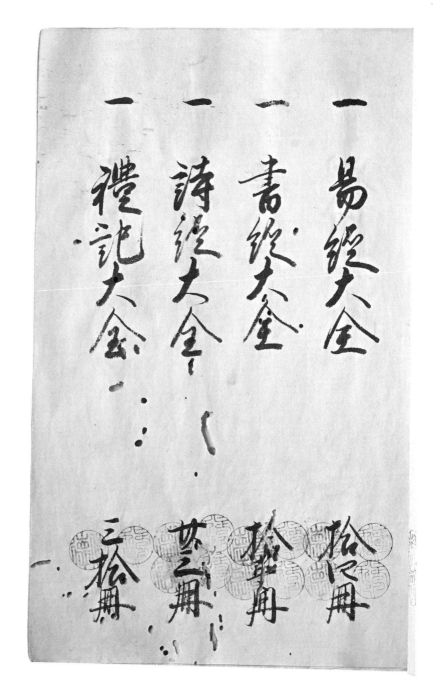

一 左傳評語 八冊

一 帝範 貮冊

一 臣軌 貮冊

一 戰國策 拾冊

一 通鑑綱目 百拾七冊

一 韻書字彙 拾冊

一 近思録 四冊

一 助辞詞 六冊

一　訓譯示蒙　弐冊

一　論語徵　五冊

一　文選六臣註　廿冊

一　譯文筌蹄　六冊

一　論語古訓　六冊

一　同外傳　拾冊

一　辯道　壱冊

一　辯名　弐冊

一 群書拾唾 六冊

一 合類節用 拾冊

一 譯文須知 六冊

一 説苑 六冊

〆

三拾九部　百弐拾六冊

右[illegible]安政

己未年八月[illegible]

九月中村[illegible]太郎ゟ[illegible]

一 唐宋八書集註　六冊

一 四書人物名物考參拾　八冊

一 漢書評林　拾冊

一 後漢書　六拾冊

一 爾雅注疏 弐冊

一 尚書纂頭 拾冊

一 説文韻譜 七冊

一 春秋左氏傳 拾参冊

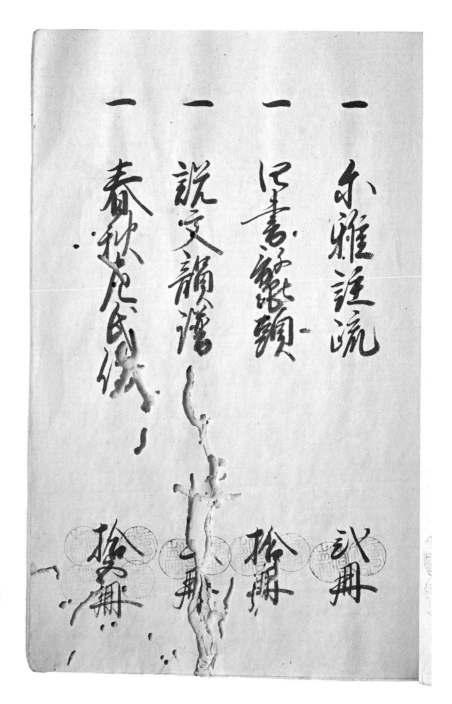

一　経書字解　大　弐冊

一　文選六臣注　拾冊

嘉永七寅年九月中[illegible]

御預御書籍

一 甲陽軍鑑全[illegible]本[illegible]虫喰之[illegible]冊

一 甲陽軍鑑[illegible] 拾一冊

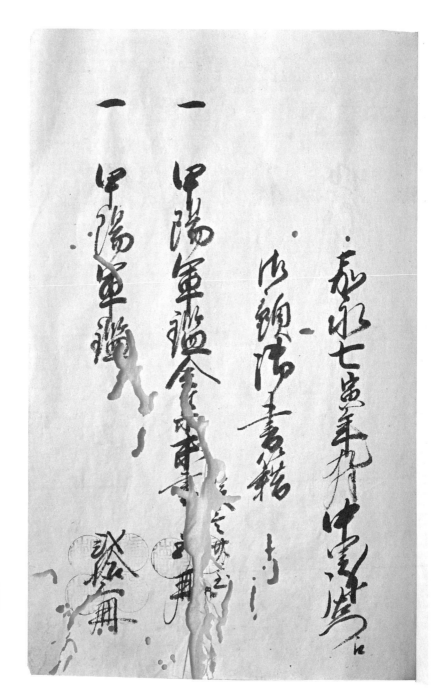

一　甲陽軍鑑全集　慶長廿弐之　六冊

一　甲陽軍鑑大全　廿参冊

右之門弟衆稽古書物壱ツ付

江戸御旗本衆方江頼出ニ而相認致候

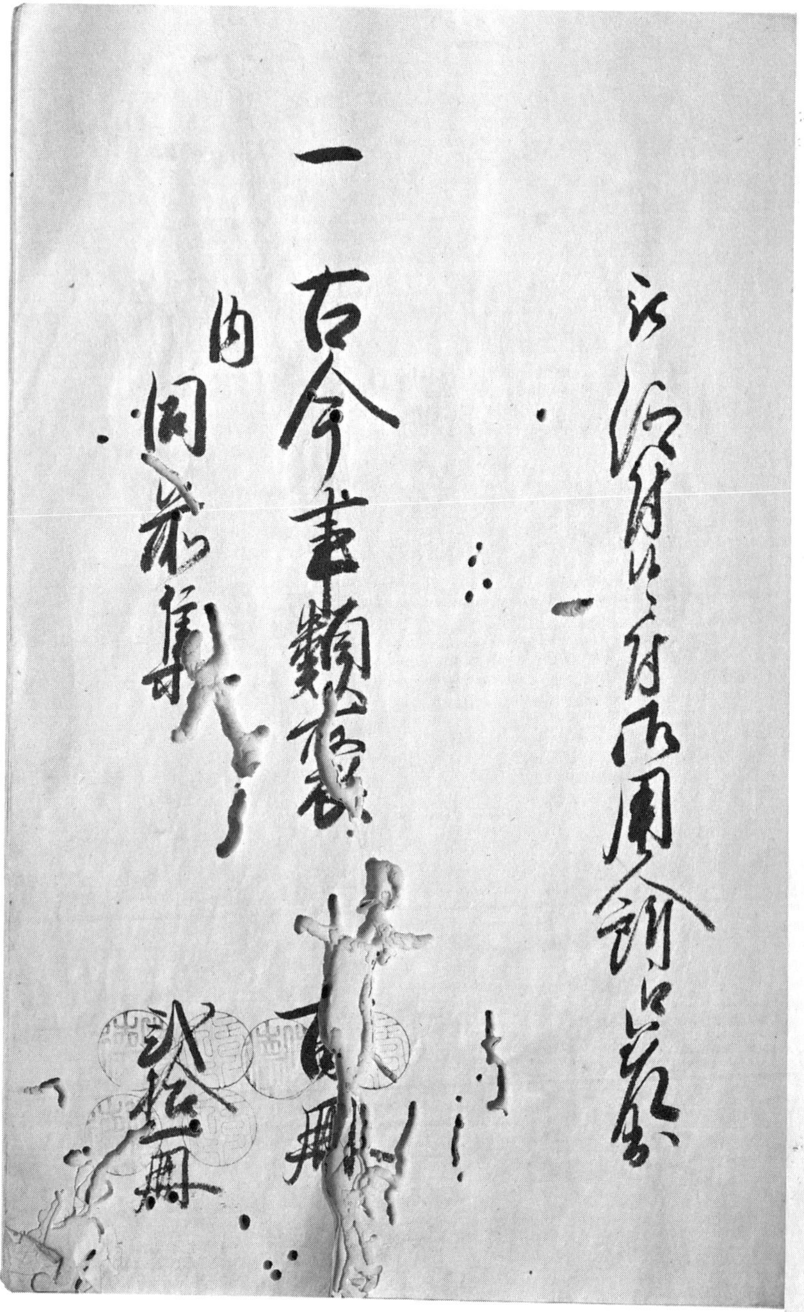
一古今書類
内
弐拾冊

同後集　貳拾冊

同續集　拾冊

同遺集　九冊

同別集　拾冊

同外集　八冊

同新集　拾弐冊

一　西洋流沙書籍

一　練卒訓諭　八冊

一　練卒訓語纂編　六冊

一　歩操軌範　合巻　六冊

一　同略解　弐冊

一　白扁砲略式　壱冊

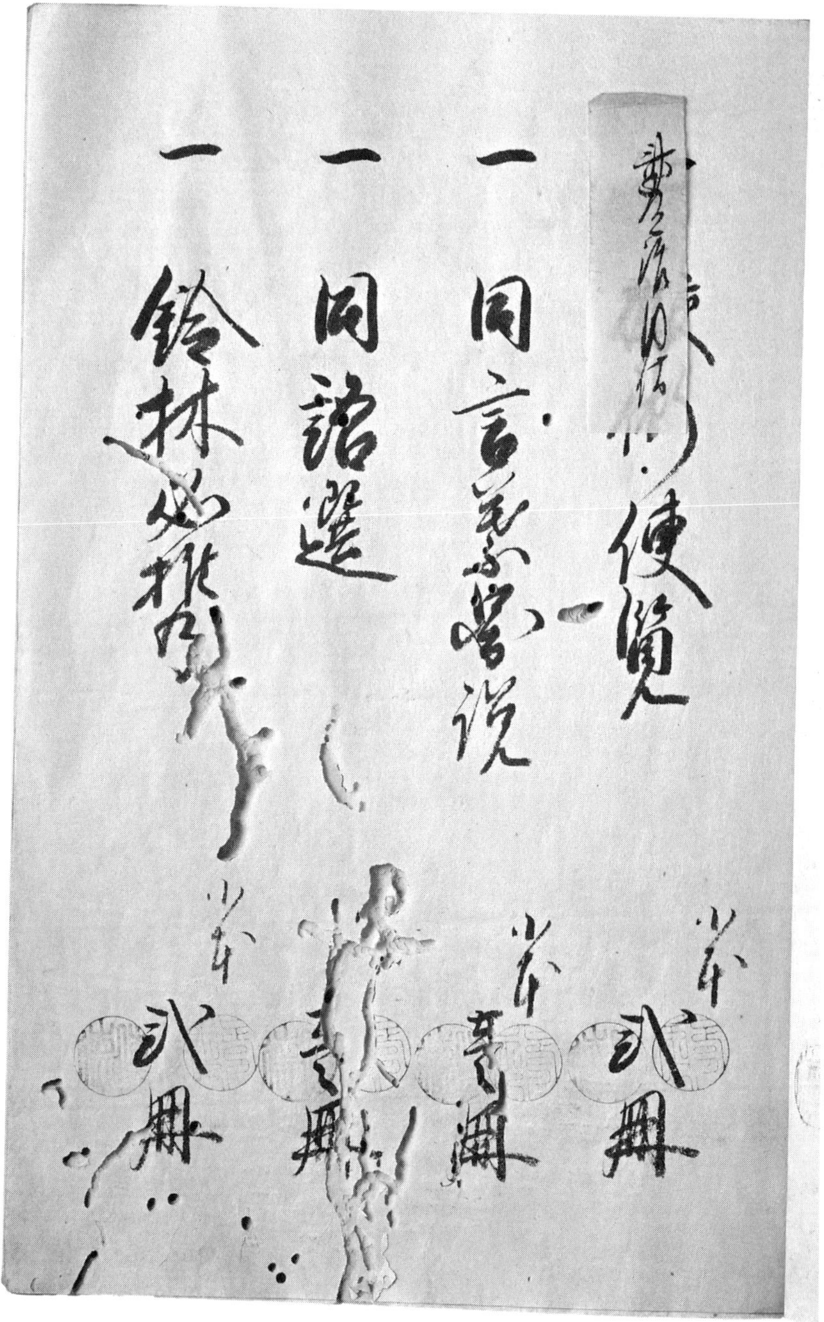
一 [illegible]便覧 小本 弐冊
一 同言葉畧説 小本 壱冊
一 同諸選 小本 壱冊
一 鈴林必携 小本 弐冊

一　練卒訓法纂編　六冊

一　歩操軌範　合巻六冊

一　同略表解　弐冊

一　白廟也略式　壱冊

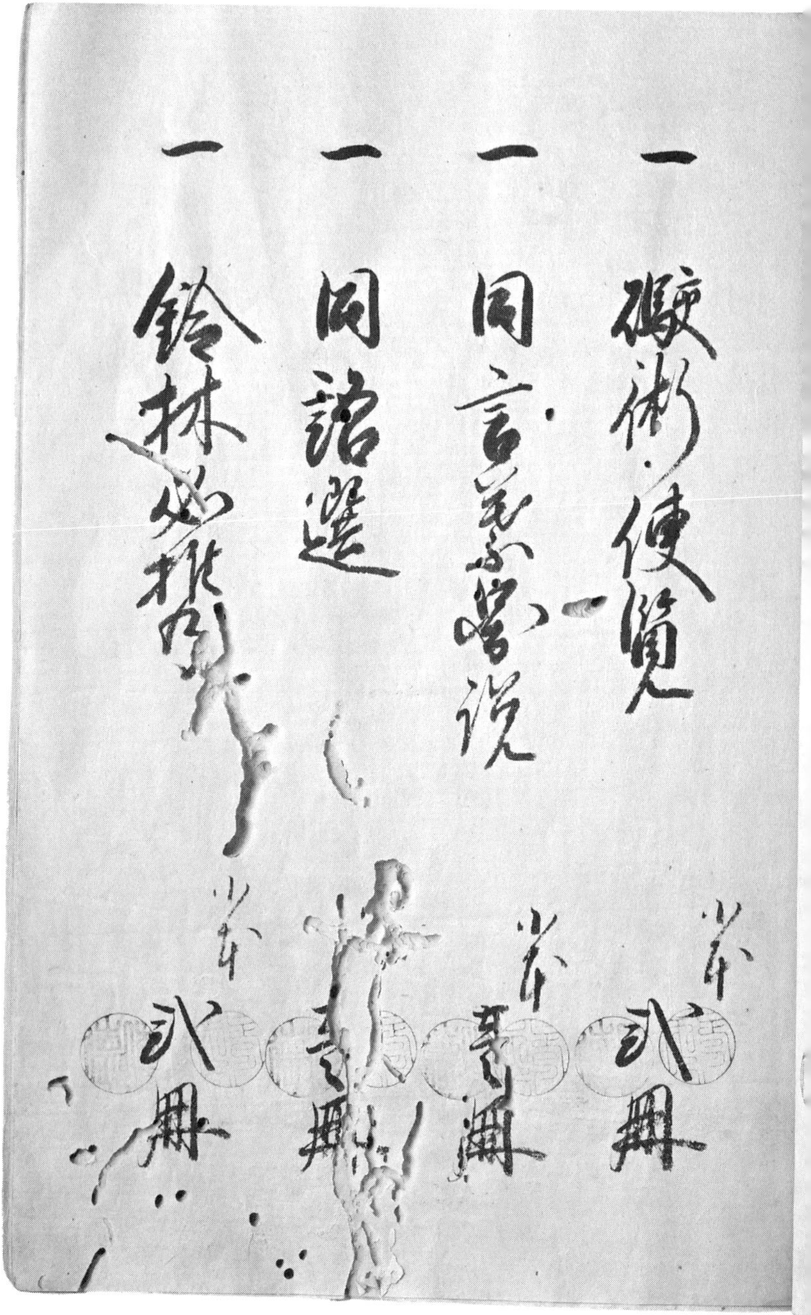

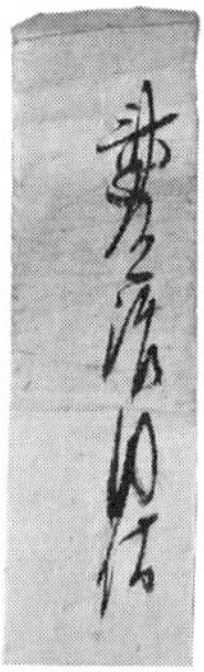

一　教練附録　壹冊

一　騎操軌範　参考品　二冊

一　歩兵運動軌範　大隊教練篇　四冊

一　生兵教練　壹冊

一 小隊教練　壱冊

一 大隊教練　壱冊

一 銃兵運動軌範　大隊教練書附　一冊

一 同　小隊教練三篇　弐冊

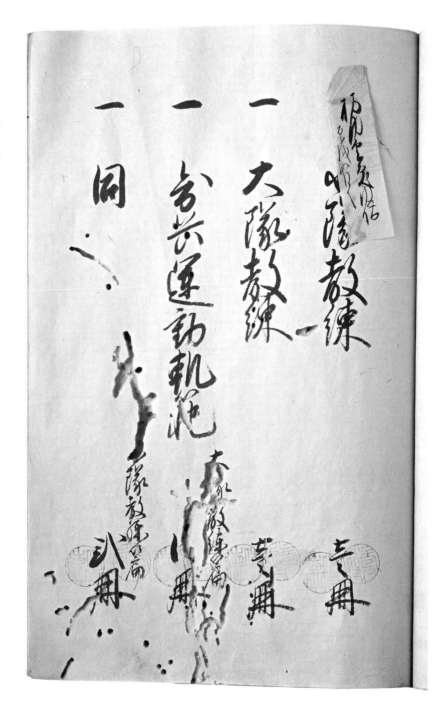

一 教練瑣記 壱冊

一 騎操軌範 参考書共 二冊

一 歩兵運動軌範 大隊教練篇 四冊

一 生兵教練 壱冊

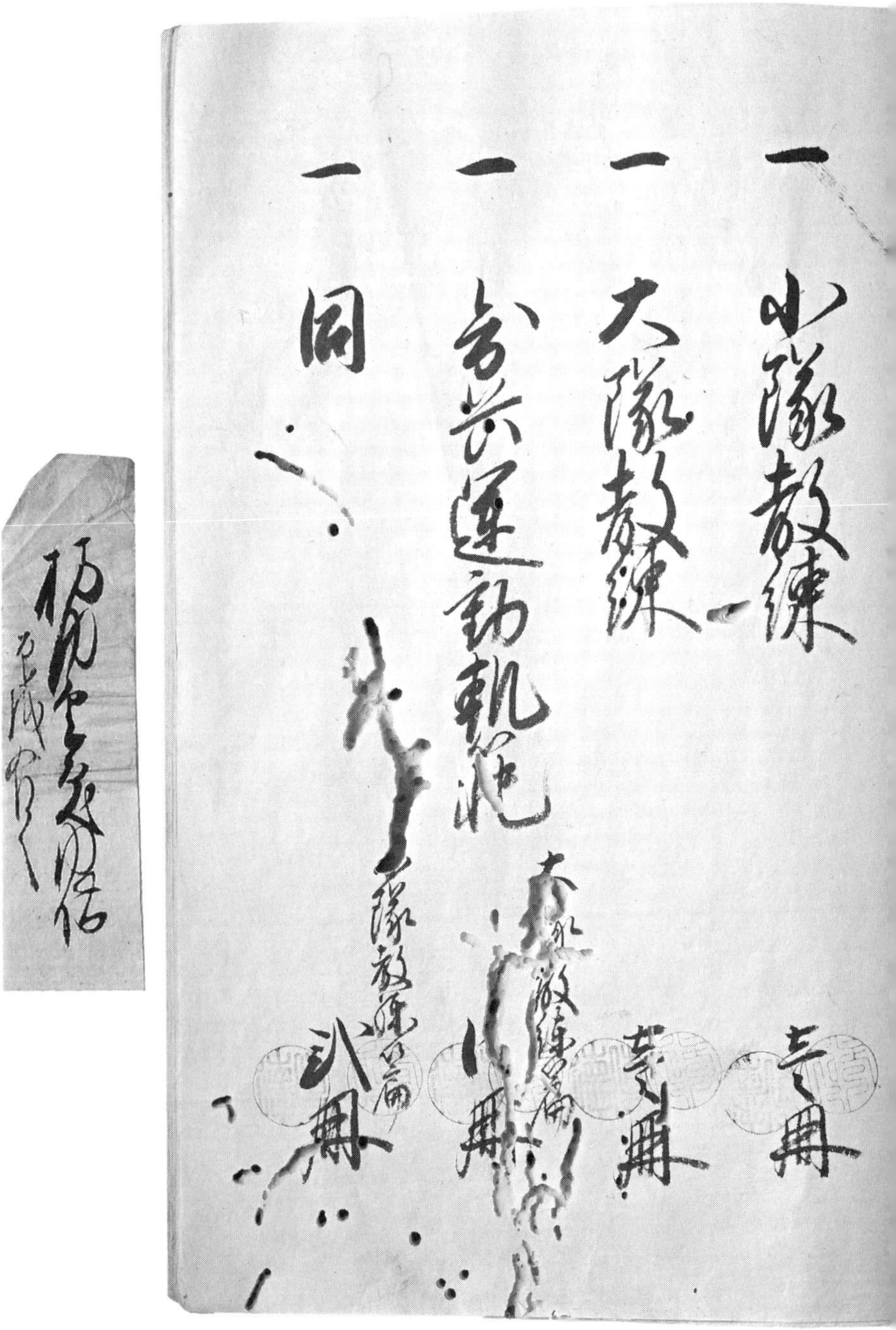
一 小隊教練 壱冊
一 大隊教練 弐冊
一 合衆国運動軌範
一 同

○この間白紙につき3丁省略した。

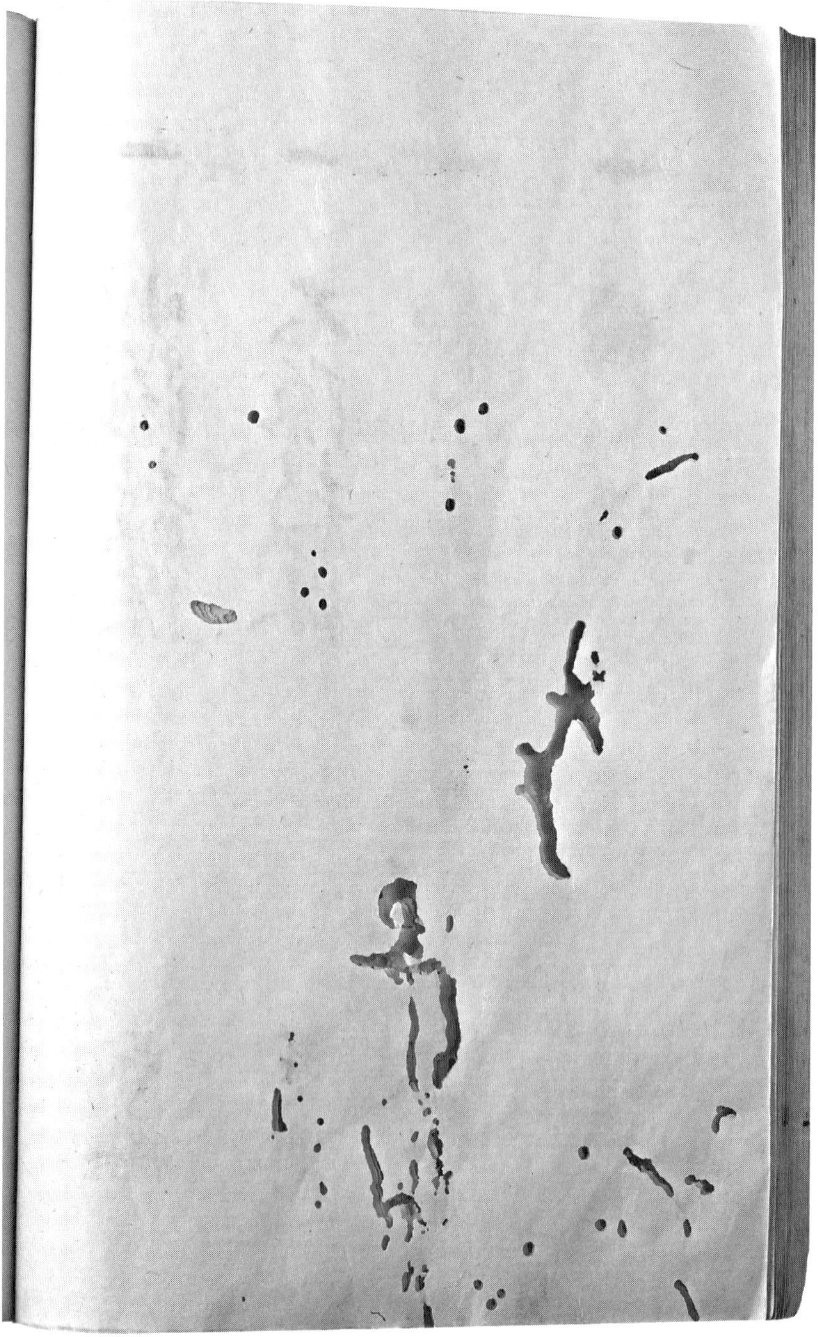

武書張搏入鑑書

一　儒門事親　六冊

一　東堂葉選　三冊

一　打破殺正論　拾参冊

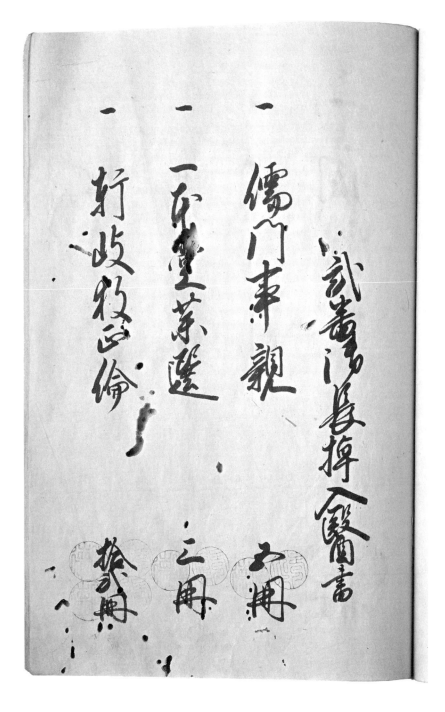

一　本朝食鑑　九冊

一　萬病回春　八冊

一　同　八冊

一　同　七冊

一 外科要方 四冊

一 指試條論 四冊

一 内科撰要 四冊

一 解體新書 四冊

同　壱冊　今日借用候
右戻り候

一　本朝食鑑

一　萬病回春

一　同

一　同

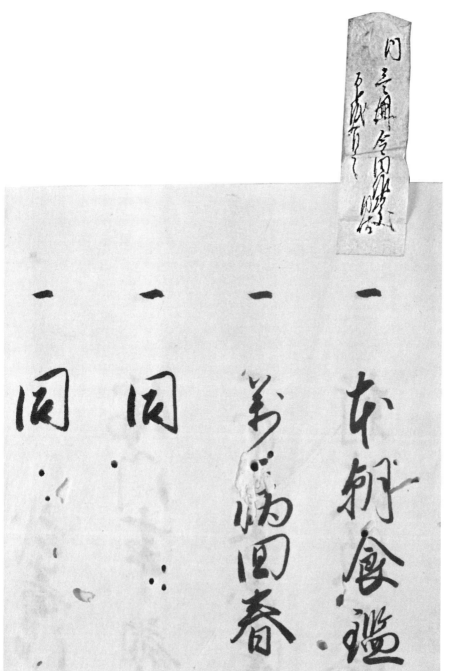

一　同序跋　壱冊

一　雅俗弁義　弐冊

一　陰陽應象大論註疏　壱冊

一　醫方明證　弐冊

一 十四経　弐冊

一 素霊秘苑　弐冊

一 増補萬外集要　四冊

一 溯洄集　壱冊

一　無武記　壹冊

一　諸書雑知　弐冊

一　逐氣論得勝男　壹冊

一　湯源、本州　三冊

一　鍼灸聚英　二冊

一　難経本義　壱冊

一　自然真営道　壱冊

一　明医雑著　壱冊

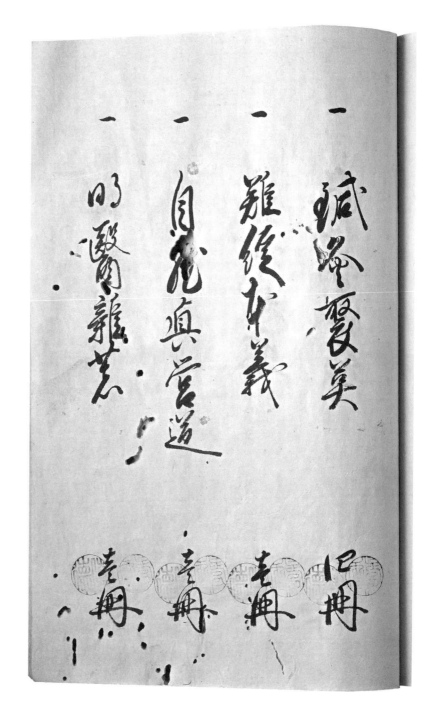

一　秘方集　孝興

一　類經　名入　孫巻

一　病機撮要　孝興

一　醫学正傳　孝興

一 仁説問答 壱冊

一 養寿院医則 壱冊

一 本草序例 壱冊

一 備考会読録 壱冊

一 外科衆方規矩　三冊

一 本草辨疑　壱冊

一 同　壱冊

一 眼目明鑑　六冊

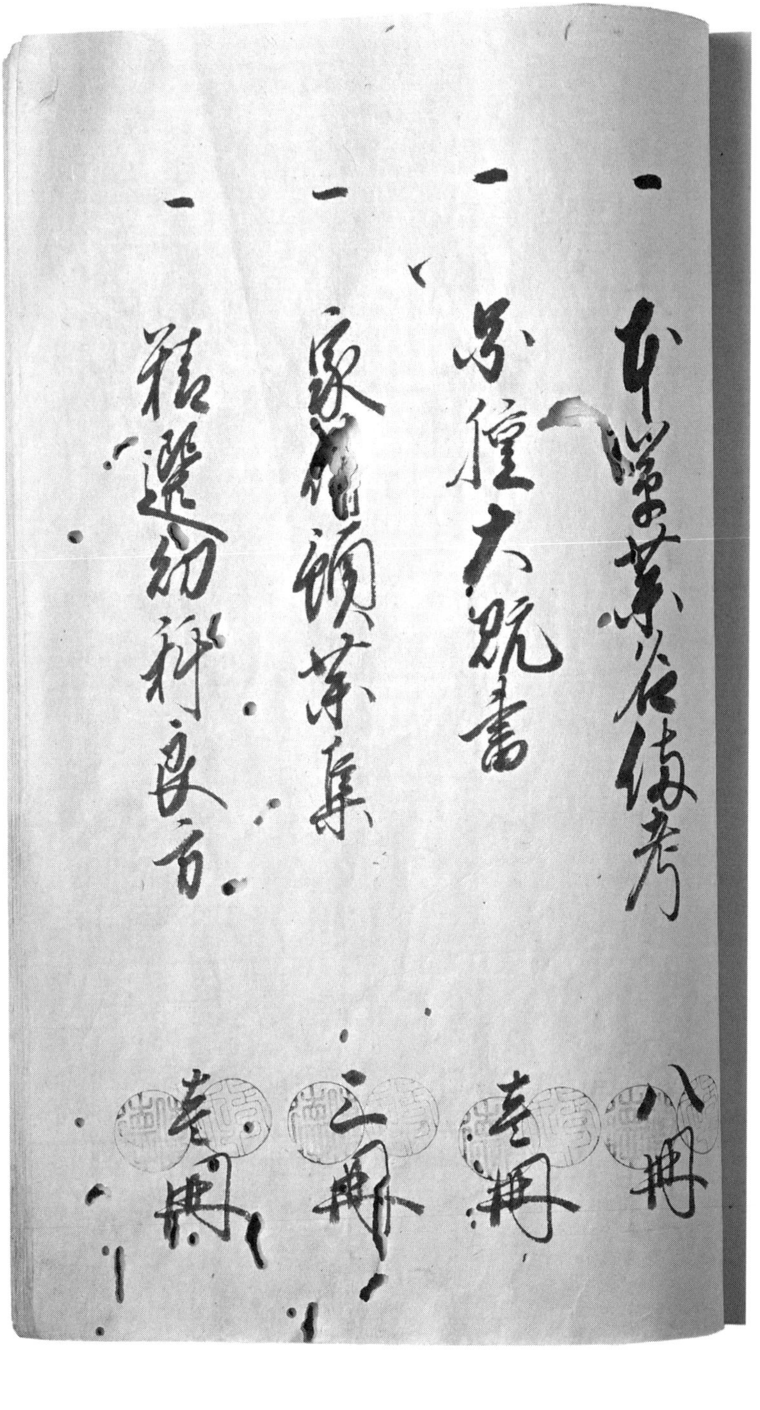
八冊
壱冊
三冊
一 精選幼科良方 壱冊

一　流方規矩　壱冊

一　山鹿家法　壱冊

一　永漢異衣纂例　壱冊

一　茶状辭　壱冊

一　増補□寶鑑□　七冊

一　□門體要　弐冊

一　□□論　弐冊

一　増益全九集　伍冊

一　濃武記　壱冊

一　東遊十書　壱冊

一　葉穆別家則記　壱冊

一　大学全書　壱冊

一　論奥辨證　三冊

一　外科精義　弐冊

一　天學畧論　壱冊

一　醫方口訣集　壱冊

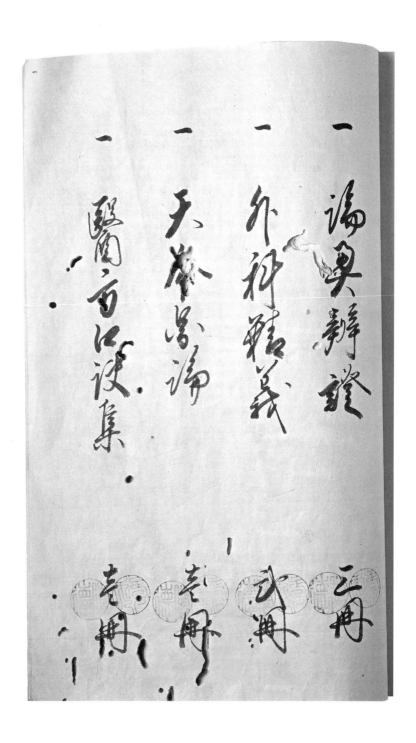

一　怪奇一詩　壹冊

一　思[illegible]江談　壹冊

一　随身傳聞加減學之方　壹冊

一　書籍大同録　弐冊

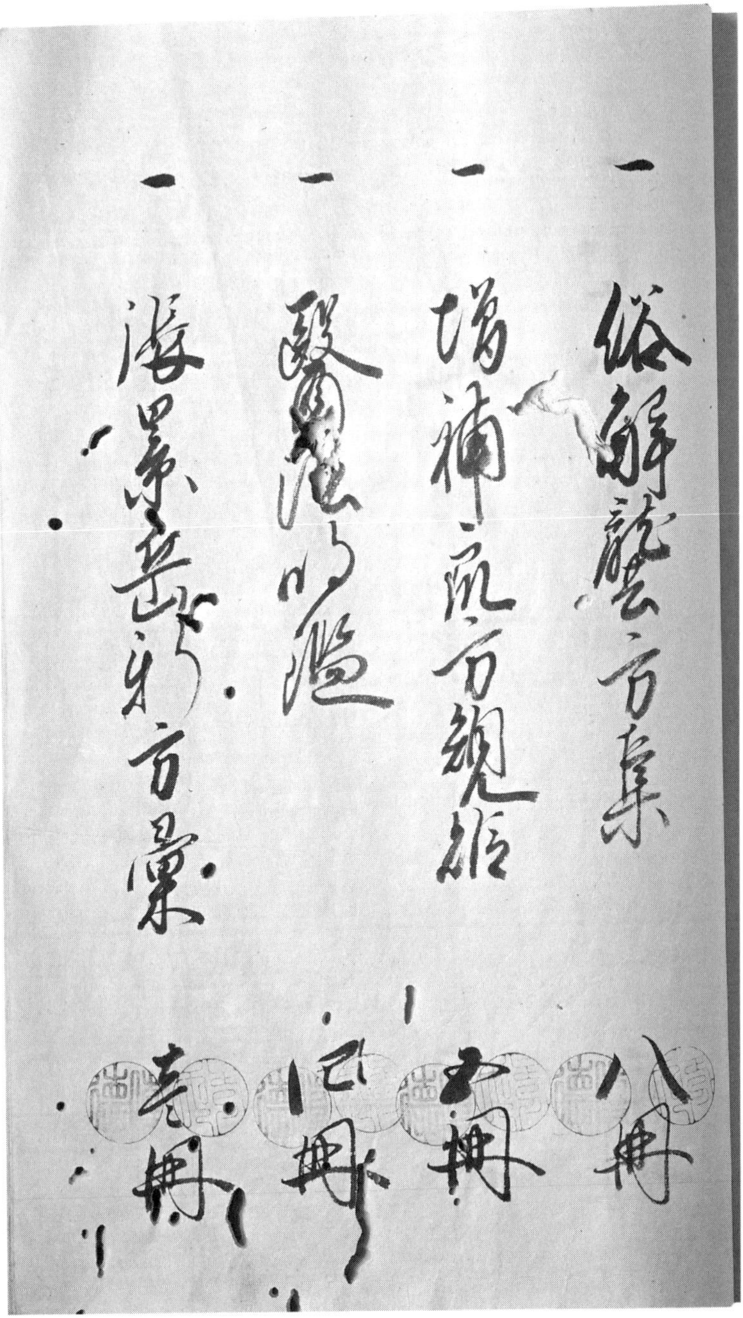

一　命元参位的法

一　職業授与

一　道之錬寿集

一　菓石

寿舟　寿舟　会寿舟　寿舟

一 血留薬方　壱冊

一 疝方大成　壱冊

一 瀉盪一夜抄　壱冊

一 肩方發揮　壱冊

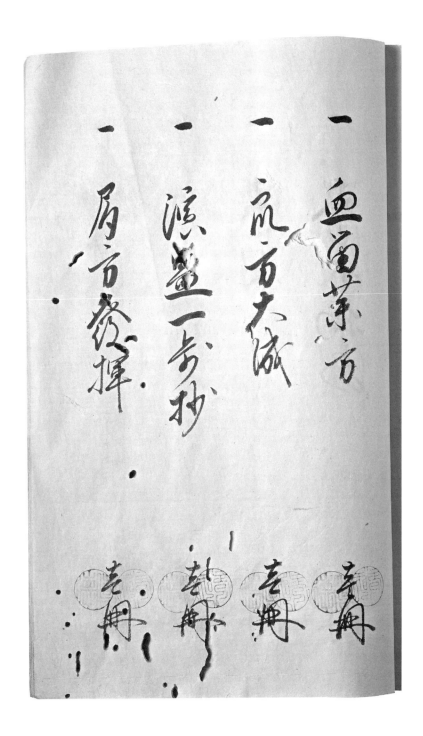

一 霊枢　拾弐冊

一 同注　四冊

一 素問　八冊

一 醫方摘要　壱冊

一　醫書不判　弐冊

一　切方集　壱冊

一　改以醫便　弐冊

一　金匱玉函要略輯義　拾冊

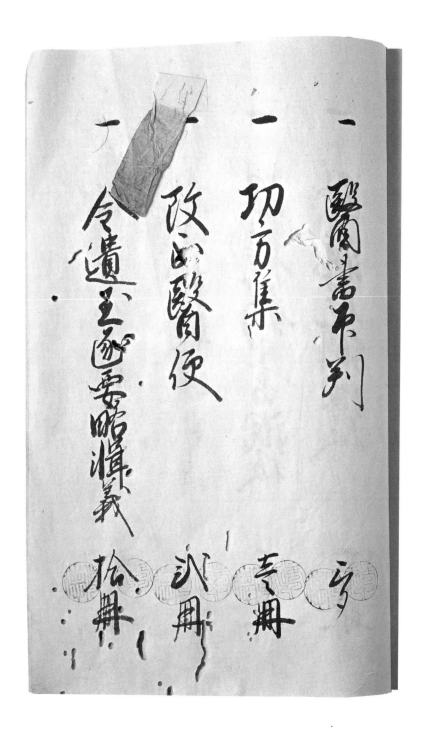

一　霊枢　拾弐冊

一　同注　四冊

一　素問　八冊

一　医方摘要　壱冊

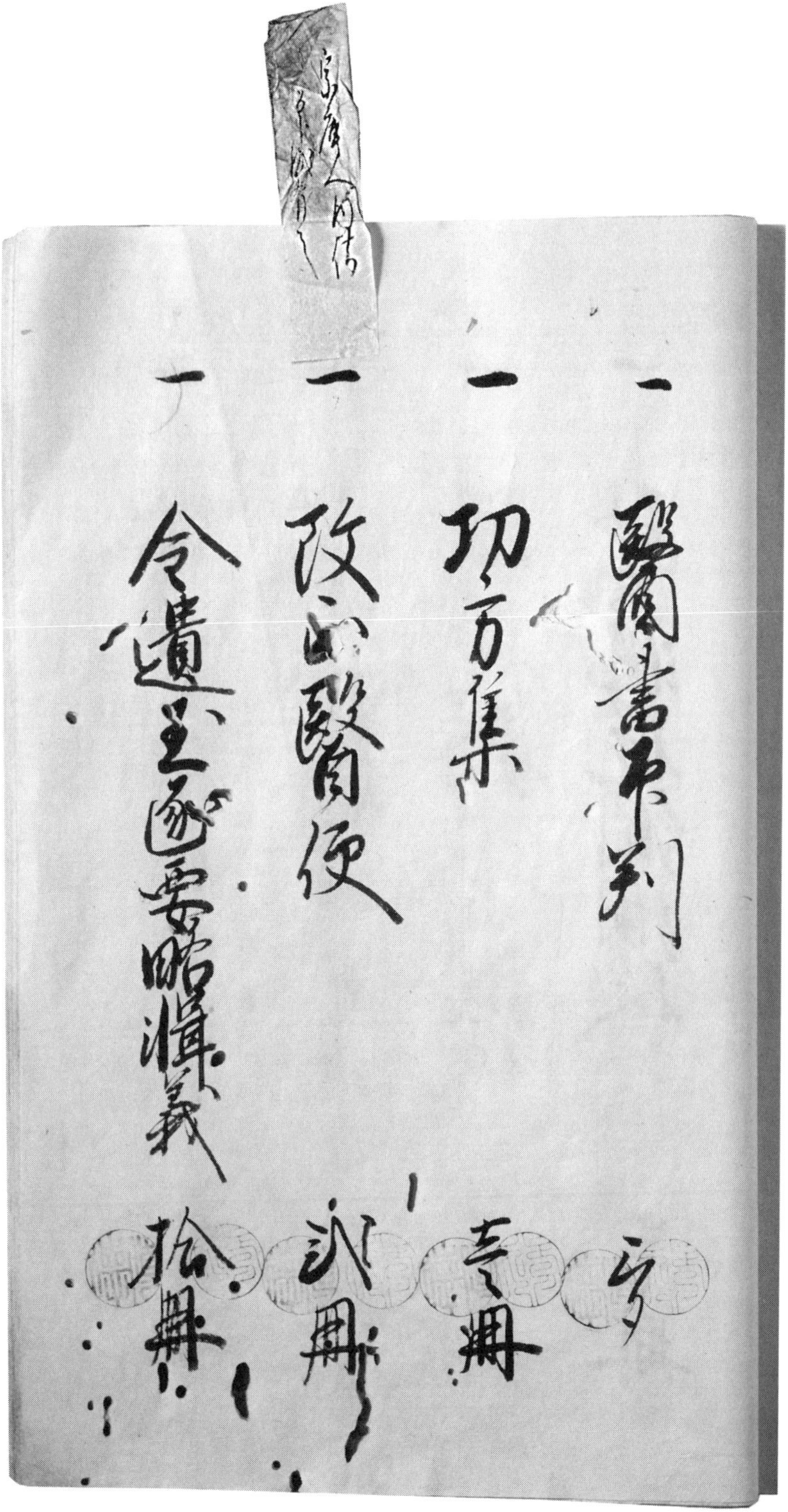

一 醫書示判 六冊

一 功方集 壱冊

一 攷正醫便 弐冊

一 金匱玉函要略輯義 拾冊

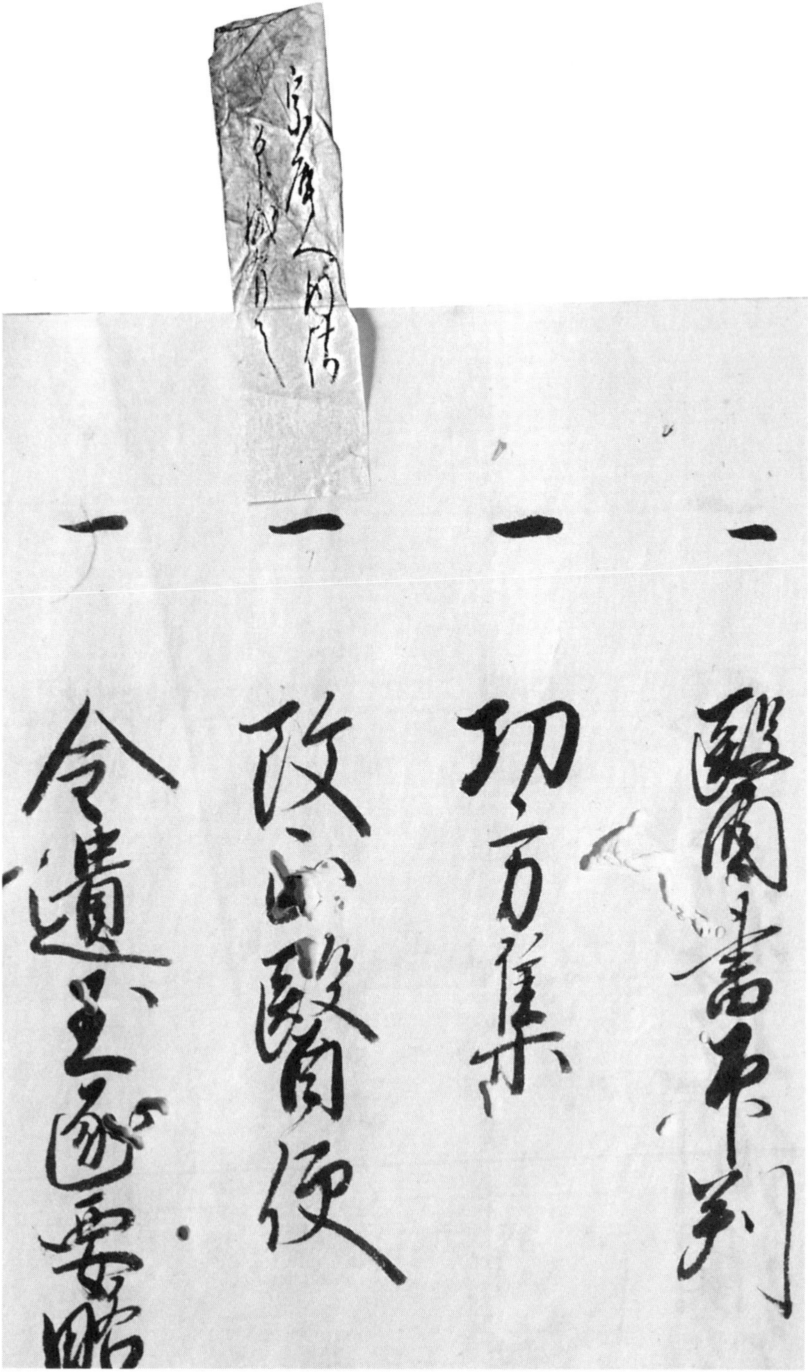

一　傷寒論講義　拾冊

一　扶氏経験遺訓　弐拾巻

一　解體新書銅板　壱冊

一　醫範提綱銅板　壱冊

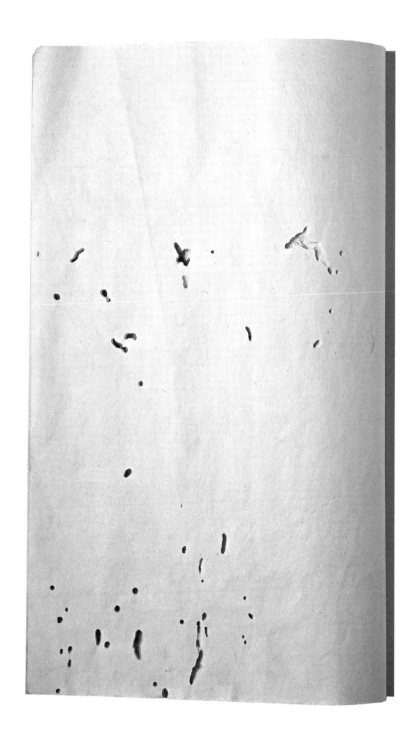

（この間白紙につき1丁省略した。

拾弐番御箱入醫書

一　千金方　拾二冊

一　黄帝内経霊枢註證發微　九冊

一　同素問霊枢註證發微　九冊

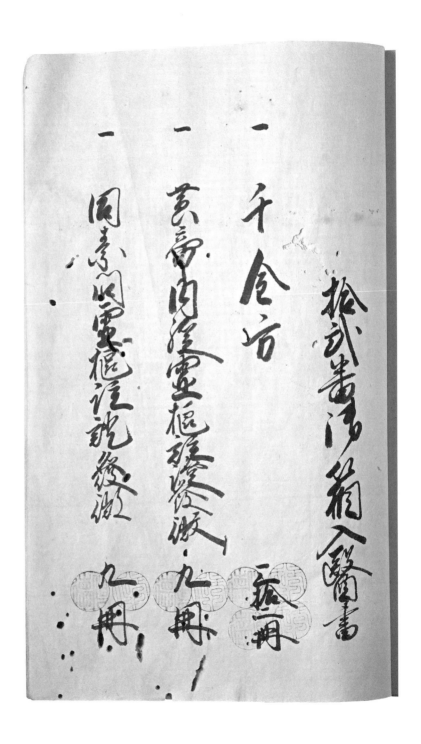

一　素問　九冊

一　同　九冊

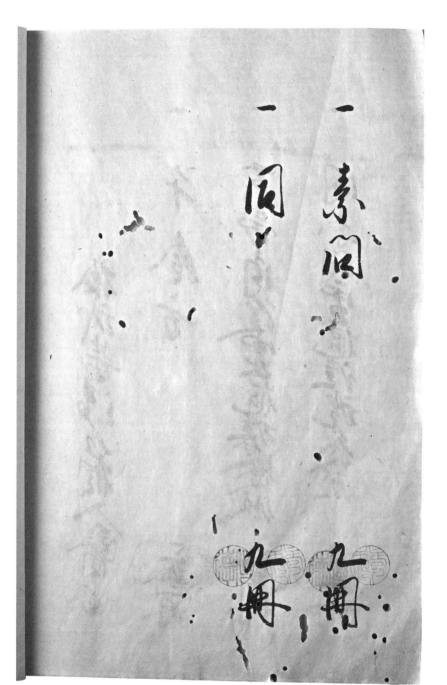

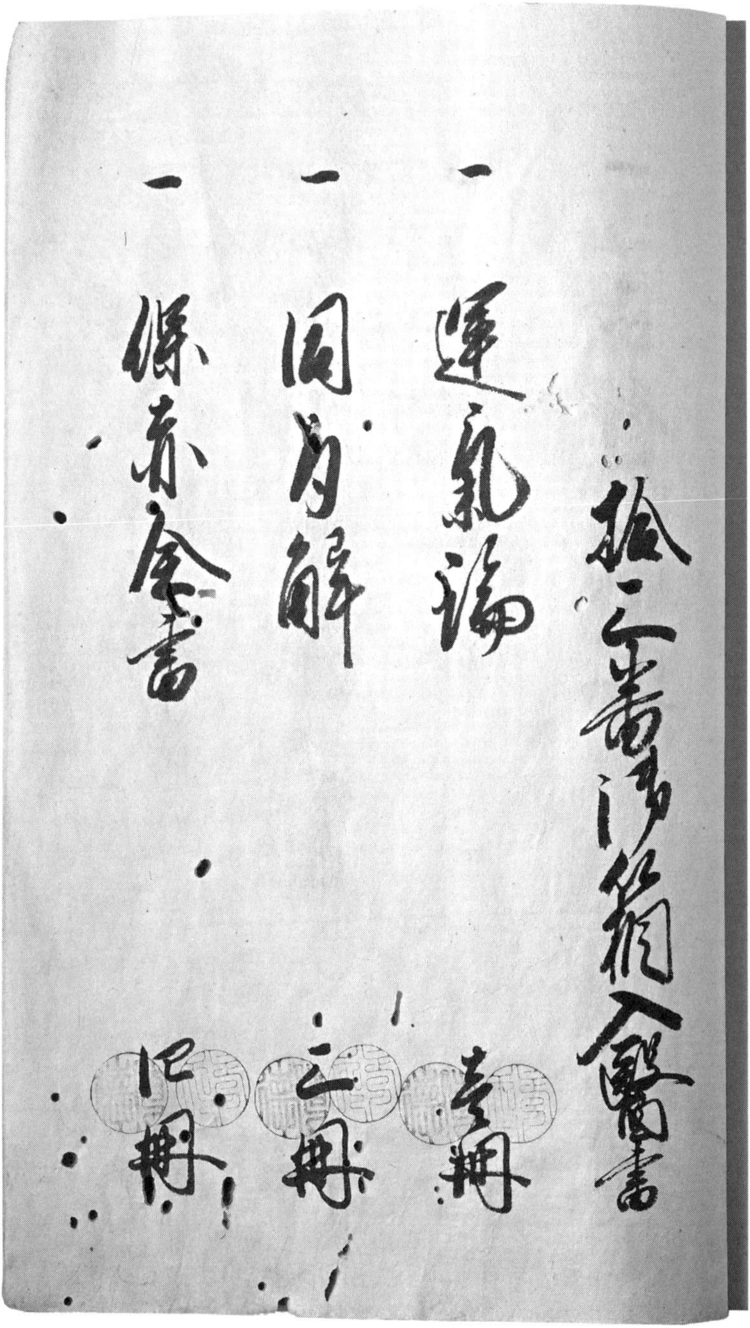

拾二番御紙入蘭書

一 運氣論 壱冊

一 同句解 二冊

一 保赤全書 四冊

一 外科精要　二冊

一 局方発揮諺解　六冊

一 小児直訣　弐冊

一 正體類要　弐冊

一　原機啓微　二冊

一　保嬰撮要　拾冊

一　同粋要　壱冊

一　同金鏡録　壱冊

一　癘瘍機要　二冊

一　口歯類要　壱冊

一　女科撮要　弐冊

一　小児痘疹方　壱冊

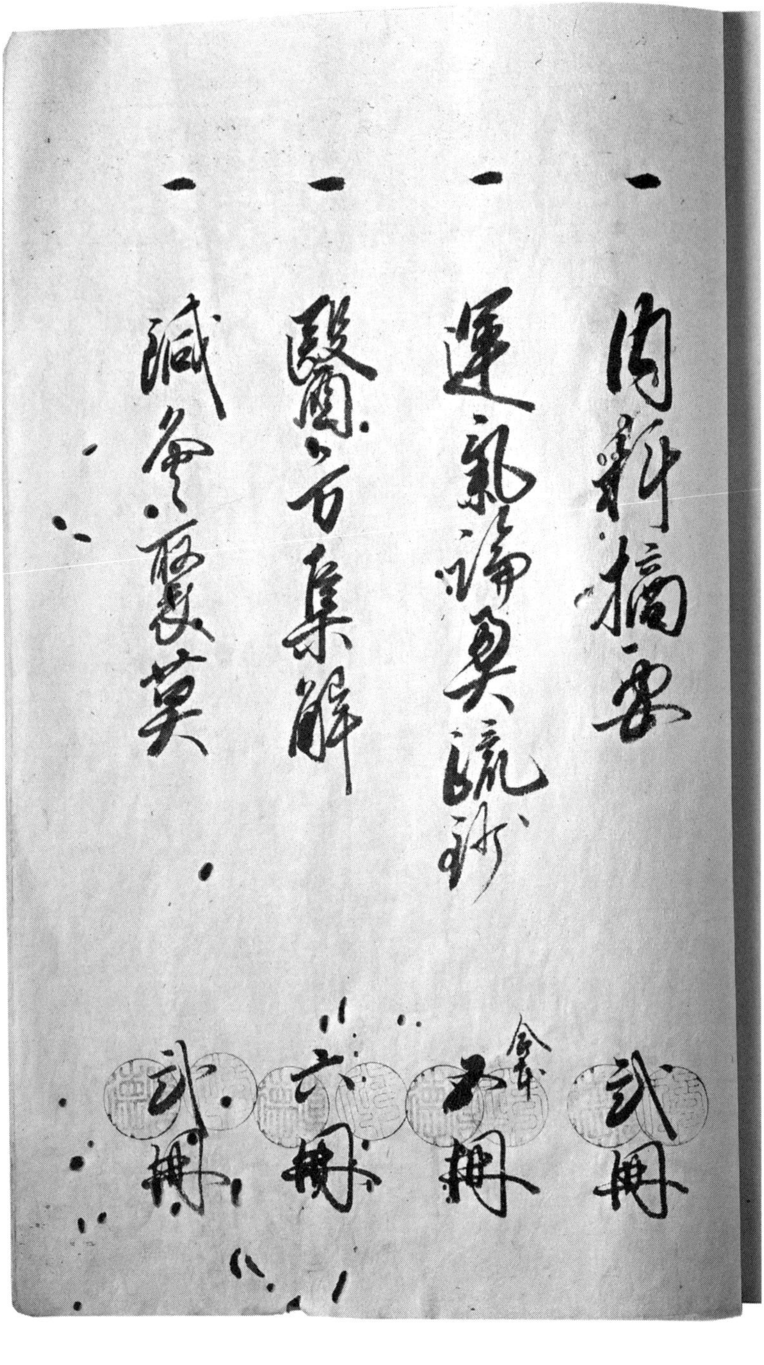
一　内科摘要　弐冊
一　運気論奥疏鈔　全本　五冊
一　醫方集解　六冊
一　鍼灸抜萃　弐冊

一 十四経発揮 壱冊

一 難経 壱冊

一 同註疏 壱冊

一 婦人良方 合 拾弐冊

一 明醫雑著　六冊

一 醫經泝洄集私講抄　拾冊

一 運氣論口義　四冊

一 外科樞要　四冊

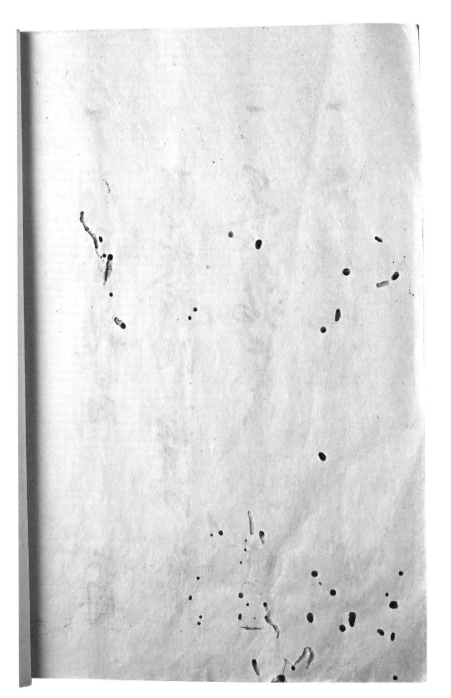

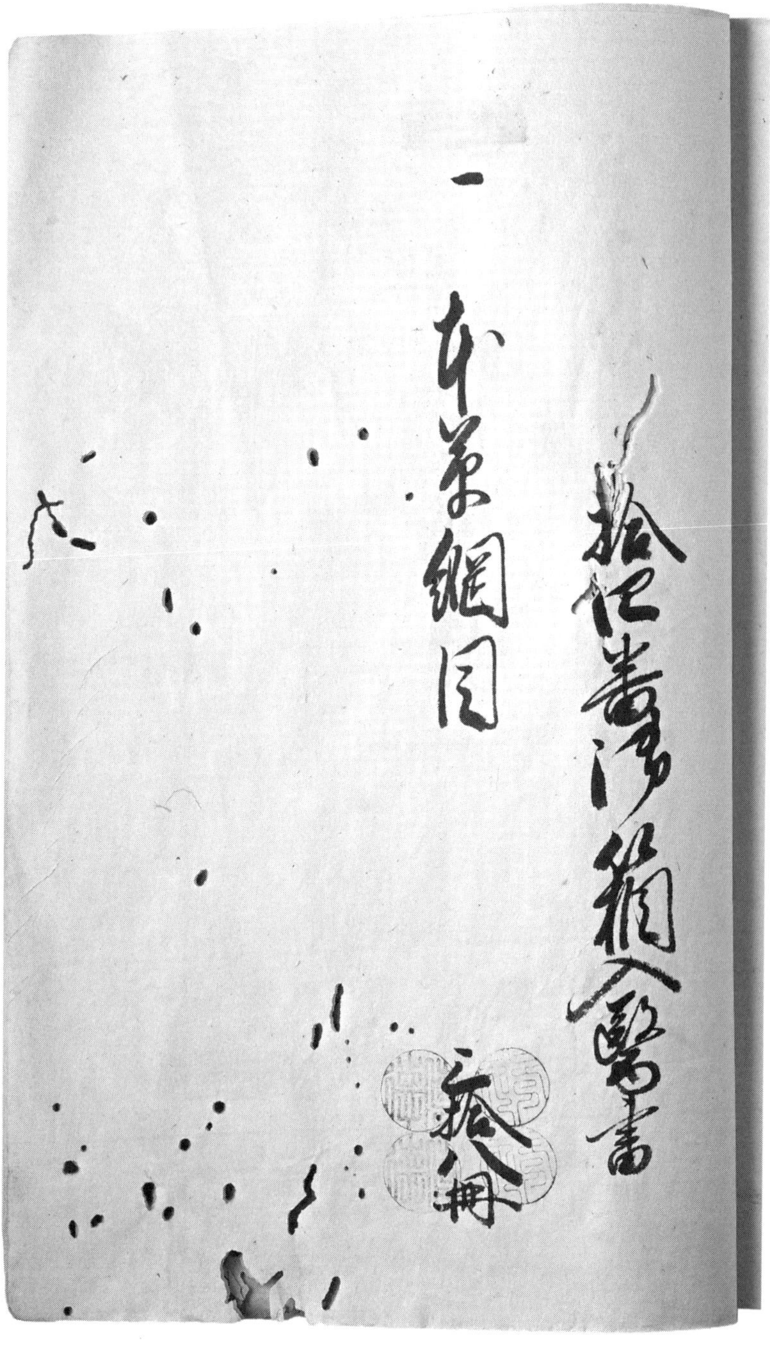
拾八冊

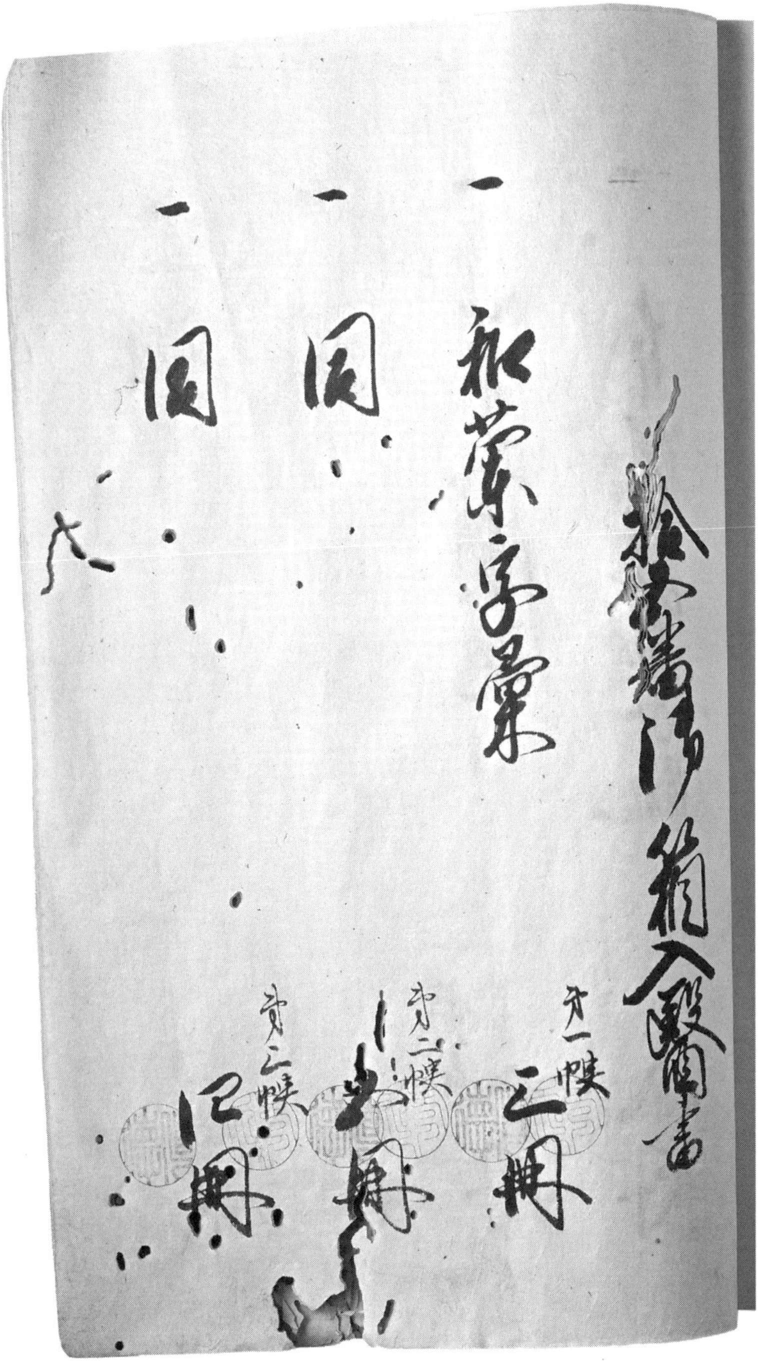

拾壱番[illegible]箱入醫書

一 和漢字彙 第一帙 三冊

一 同 第二帙 三冊

一 同 第三帙 四冊

〆

一　同　寸巳候　三冊

一　同　丹文候　弐冊

一　草木図説　宗篤印　五冊

一　本草綱目啓蒙　八冊

一 重訂解體新書　拾一冊

一 同附言凡例　壱冊

一 [illegible]説　拾冊

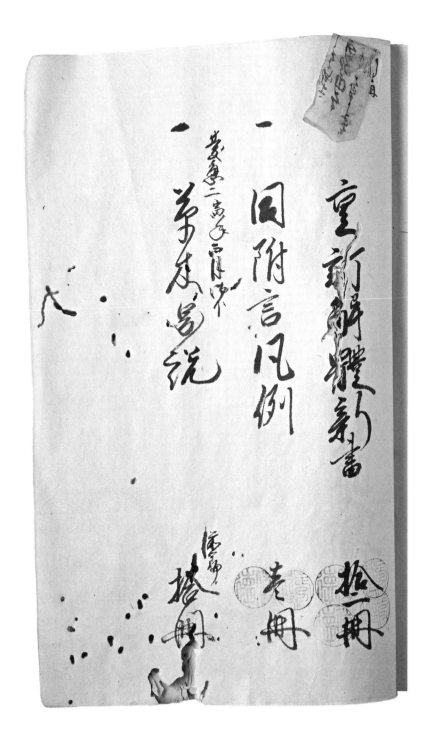

一 同 三冊 貸已候

一 同 弐冊 有之候

一 草木圖説 五冊 [illegible]

一 本草綱目啓蒙 八冊

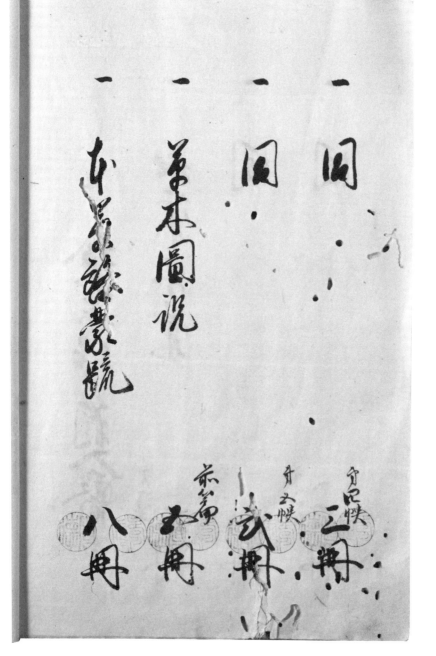

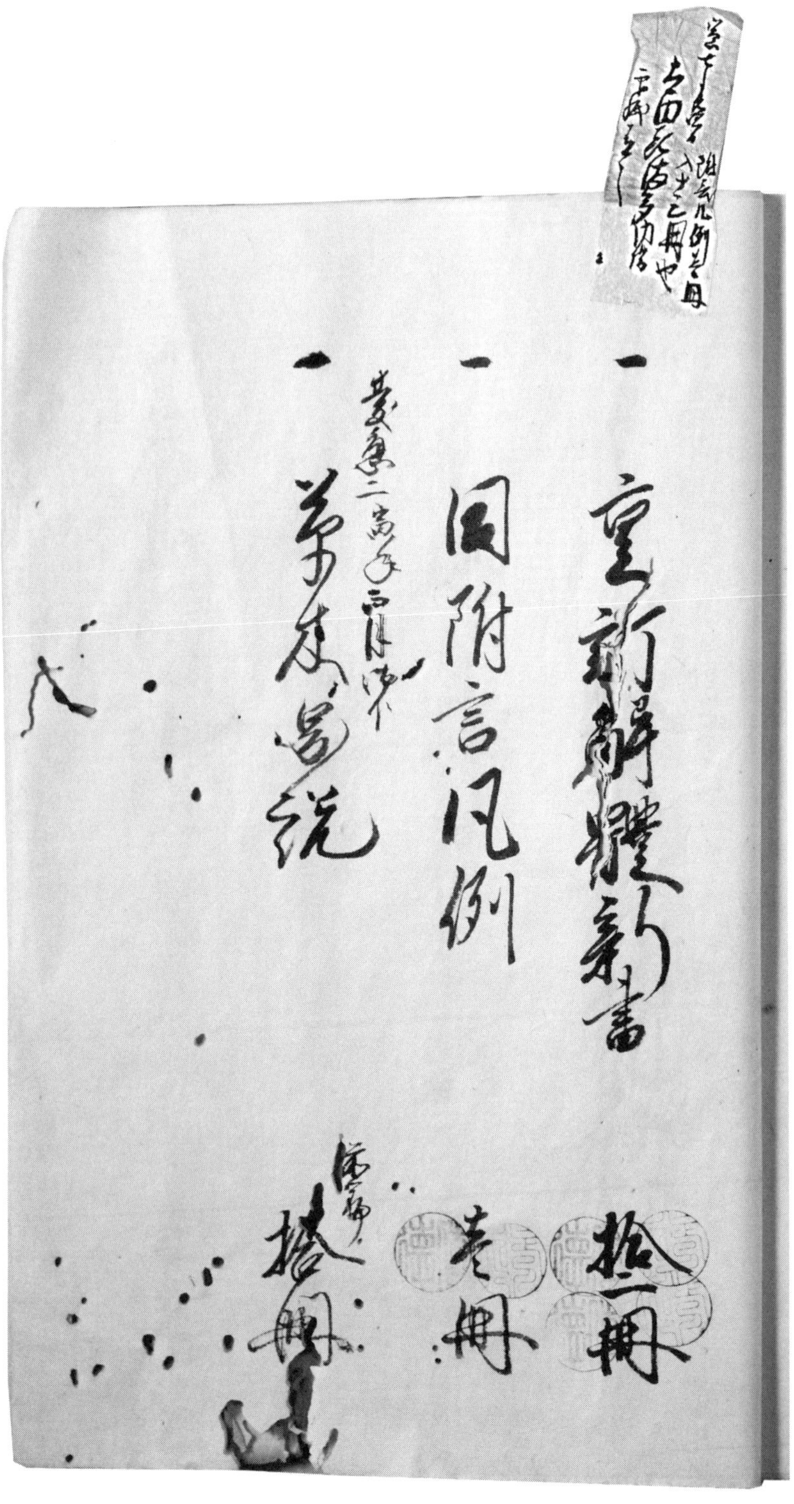
一 重訂解體新書　拾壹冊
一 同附言凡例　壹冊
一 [illegible]説　拾冊

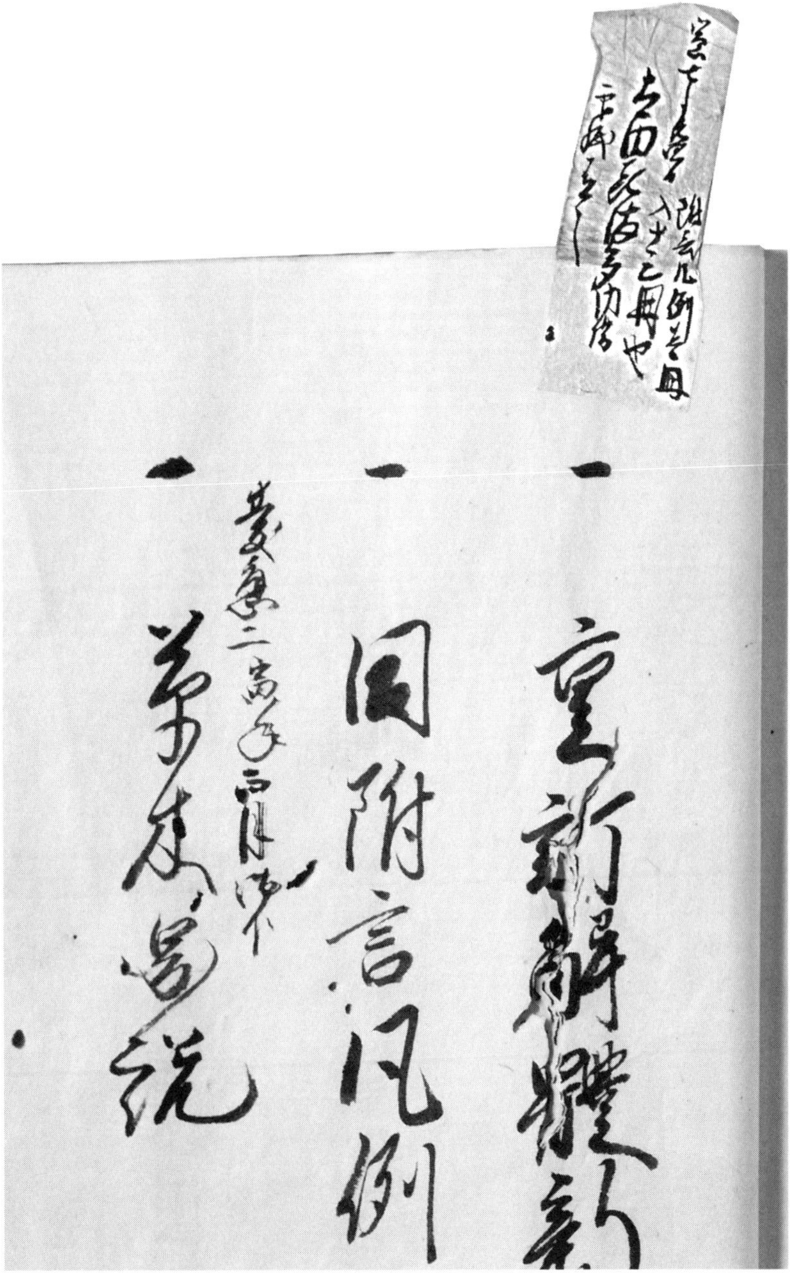
一 同附言凡例

拾六番御箱入蘭書

一　遠西医方名物考　拾六冊

一　同補遺　九冊

一　素問識　拾冊

八

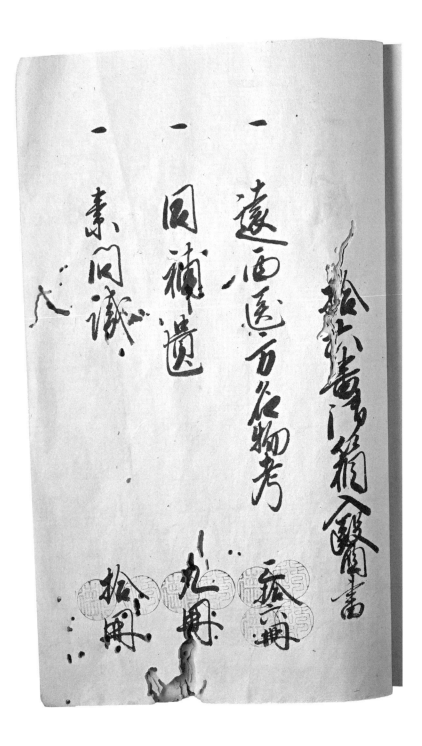

一　和蘭文典　（前編）壱冊

一　同　（後編）壱冊

一　同読法　（初編）壱冊

一　同　（二編）壱冊

一　瀛海観瀾広義　初編ゟ四編迄　拾冊

一　和蘭文典字類　茶表紙小本　壱冊

一　英学獨案内　小本　壱冊

拾七番書籍入覚書

一 倉密山房宗　初篇 壱冊

一 同　二篇 壱冊

一 同　三篇 壱冊

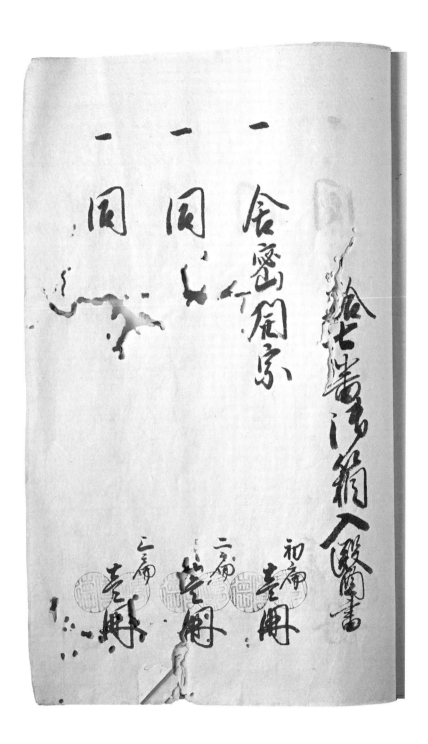

一　同　四番　壹冊

一　同　五番　壹冊

一　同　六番　壹冊

一　同　七番　壹冊

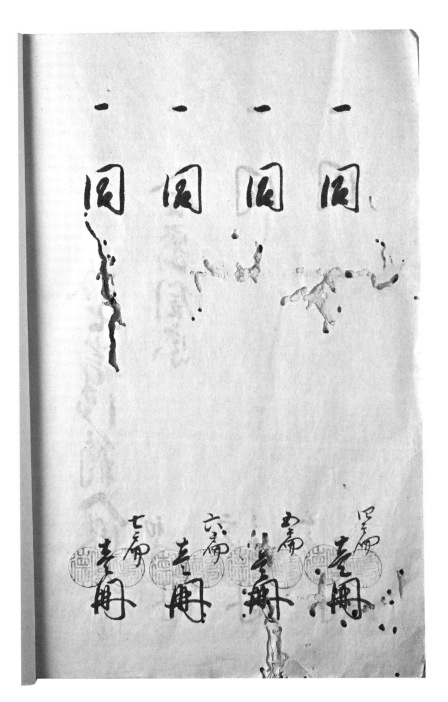

一 難経疏証 弐冊

一 人身窮理書 三冊

一 増補重訂内科撰要 弐冊

一 重訂外科纂綱目語蒙 拾冊

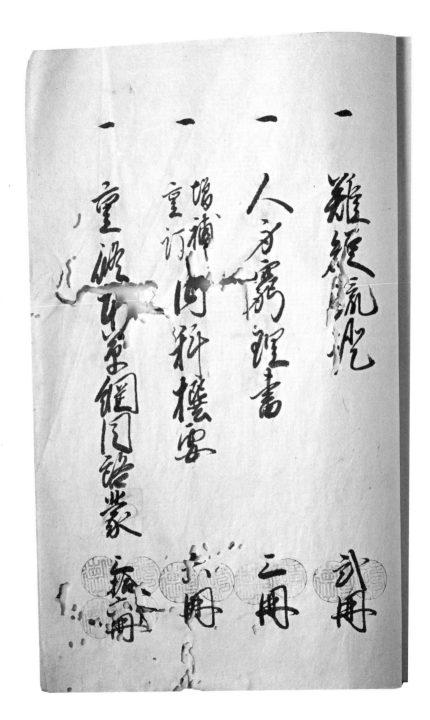

一　理学提要　初編　五冊

一　病学通論　初編　三冊

一　気海観瀾　壱冊

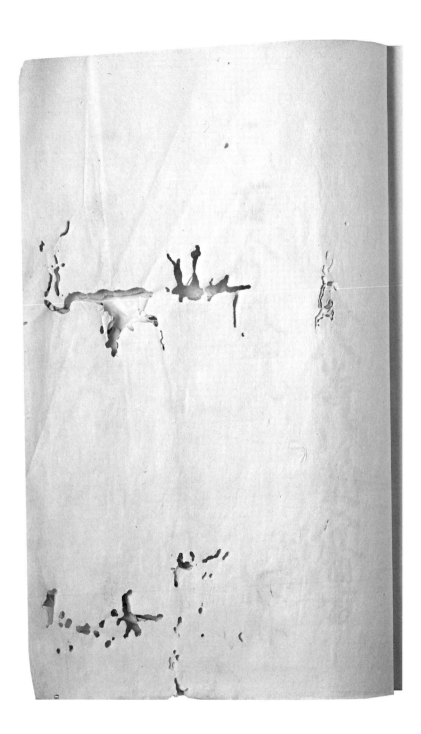

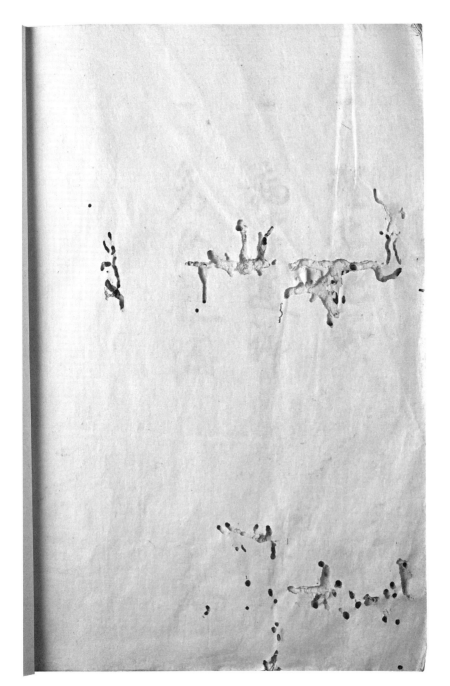

拾八番御箱入醫書

一 古今醫統　全部 拾冊

拾九番御箱入醫書

一 外臺秘要方　合本 七冊

右之通[illegible]四年十二月御用日記ニ而取調書載

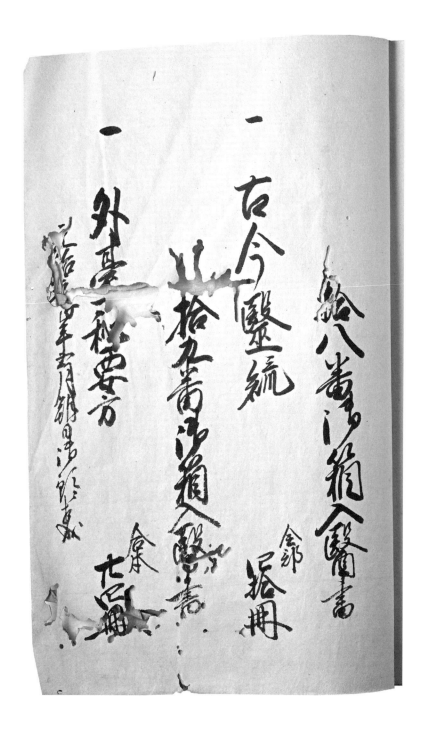

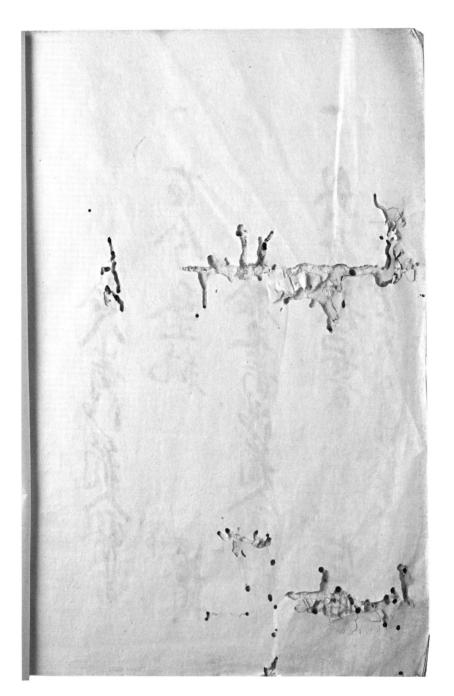

○　以下、白紙につき2丁省略した。

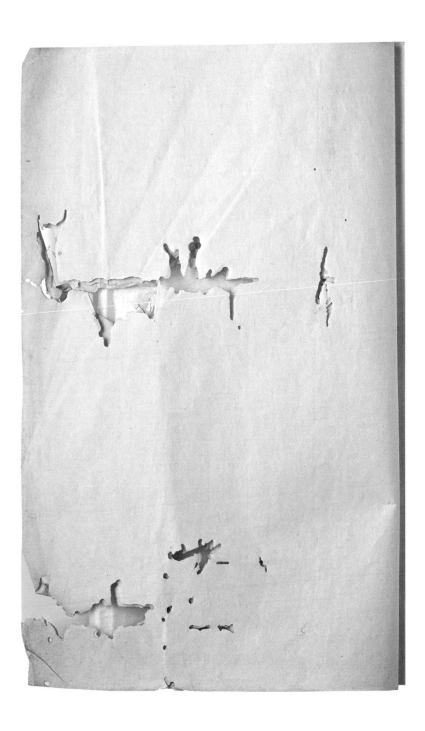

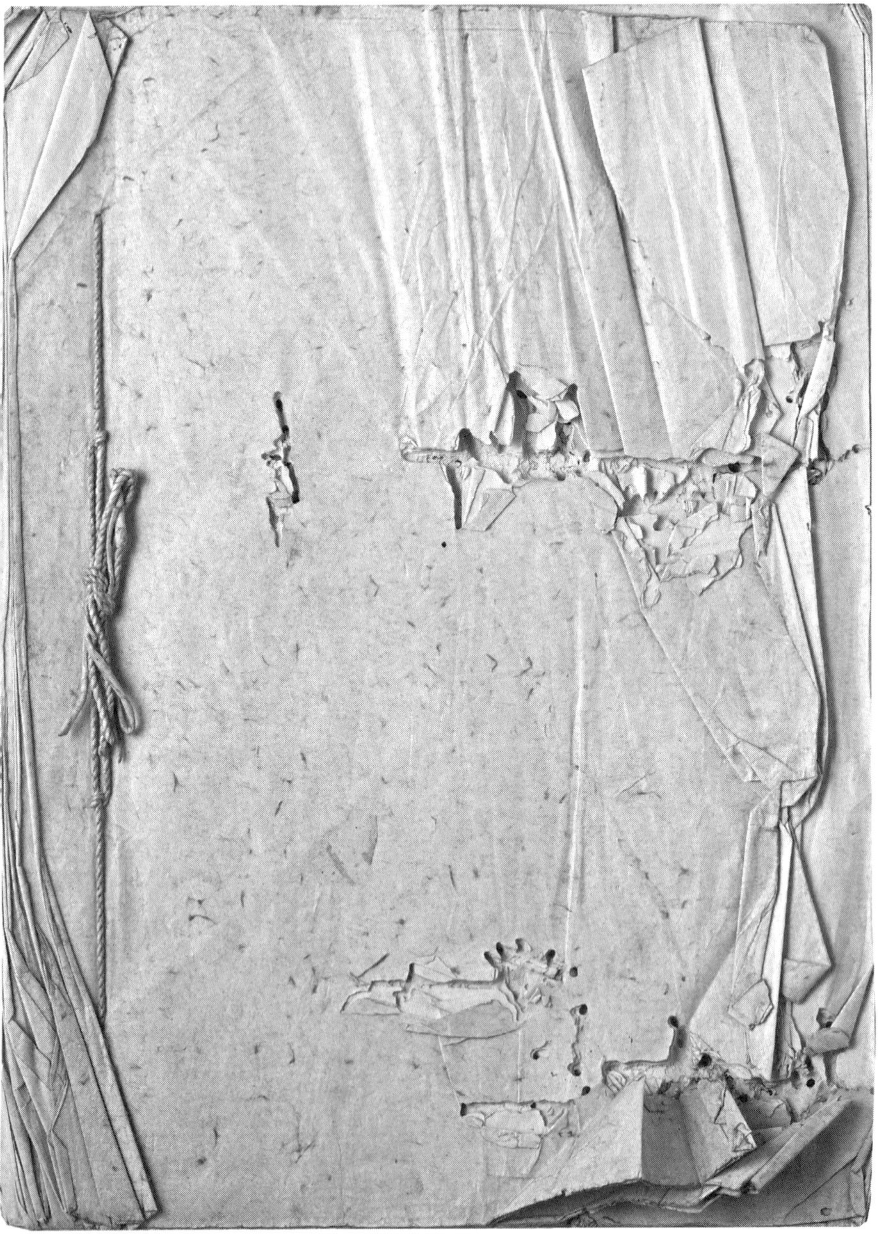

⑨　御書籍目録（文久三年）

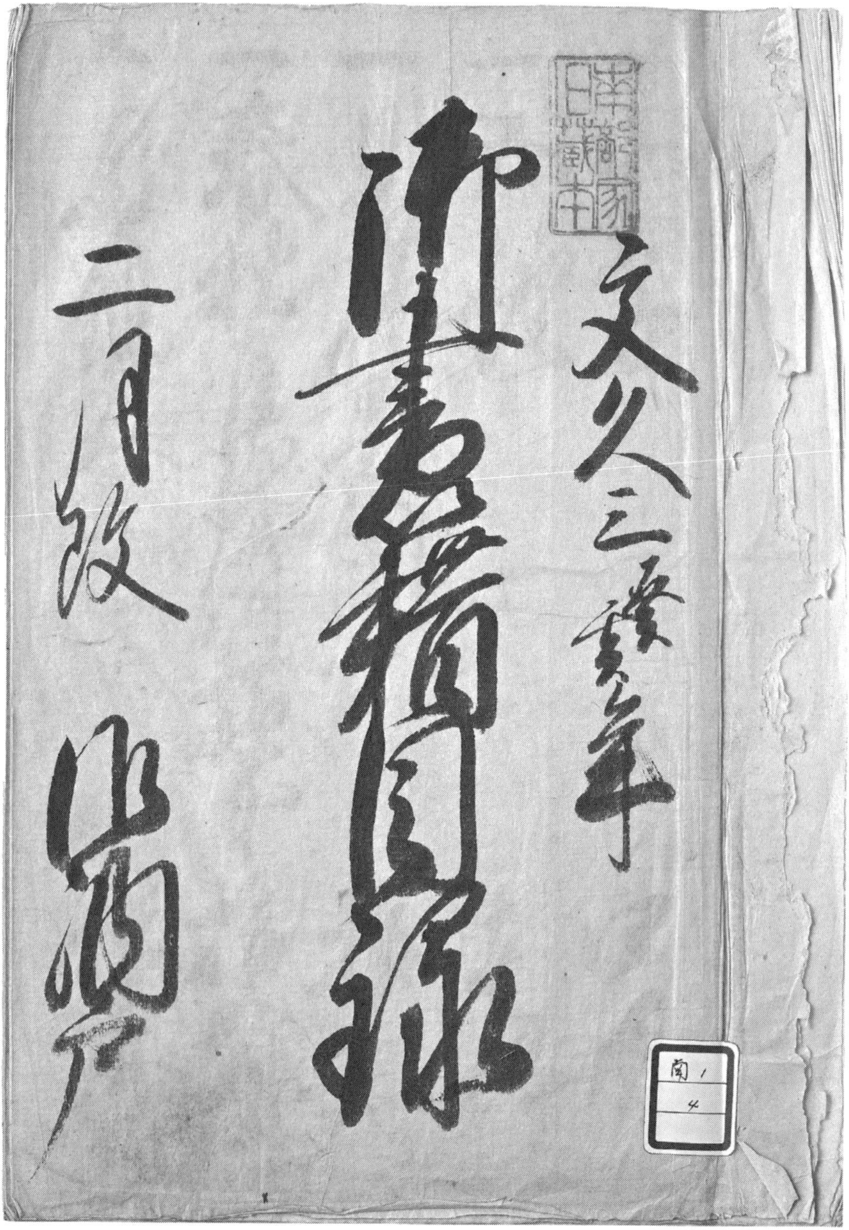

文久三癸亥年

御書籍目録

二月改

一 小学　四冊

一 五経　壱部

一 易経蒙引　拾二冊

一 春秋左氏伝校本　拾五冊

一 貞観政要　拾冊

一 臨書字彙　拾冊

一 集古千種　八冊

同 中本　七冊

一 梅園奇賞　壱冊

一 湖月抄　六十冊

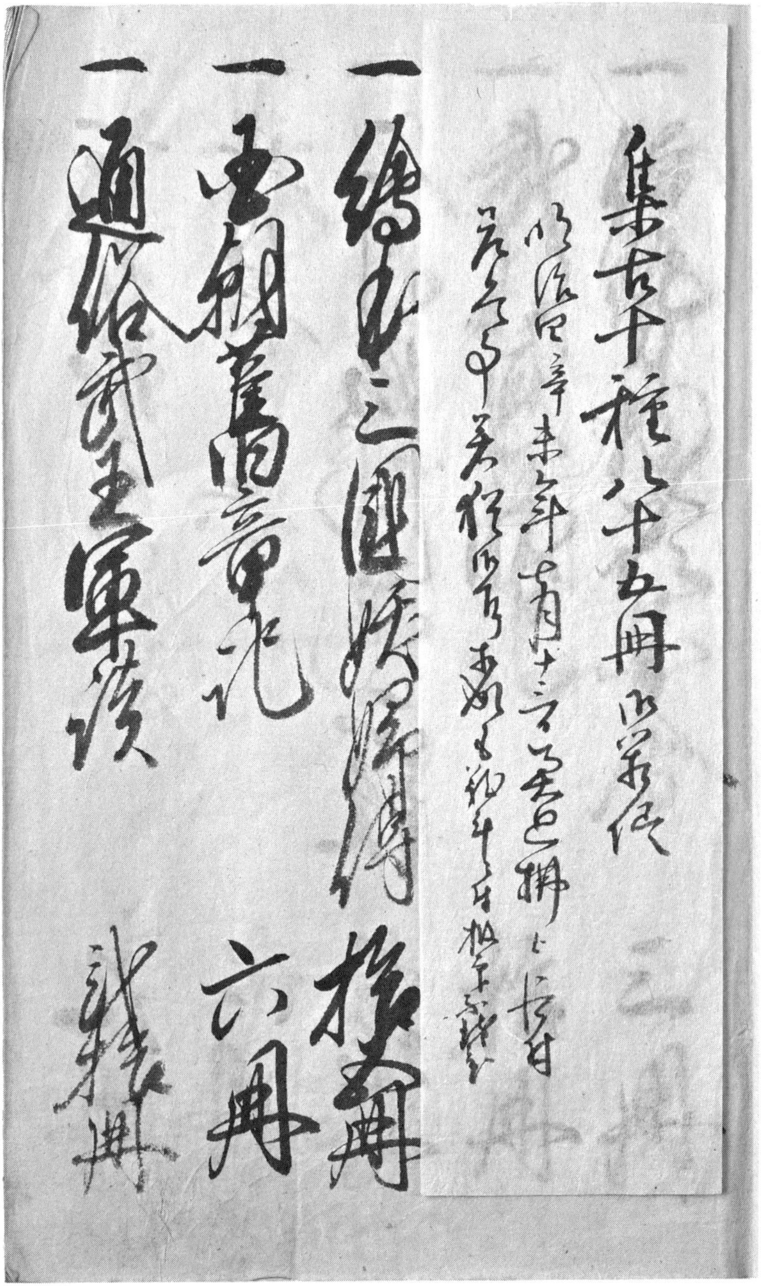
集古十種八十五冊
一 東観漢記 六冊
一 通俗武王軍談

一 隷書字彙　拾冊

一 集古千種　八冊

同 中本　七冊

一 梅園奇賞　壱冊

一 湖月抄　六十冊

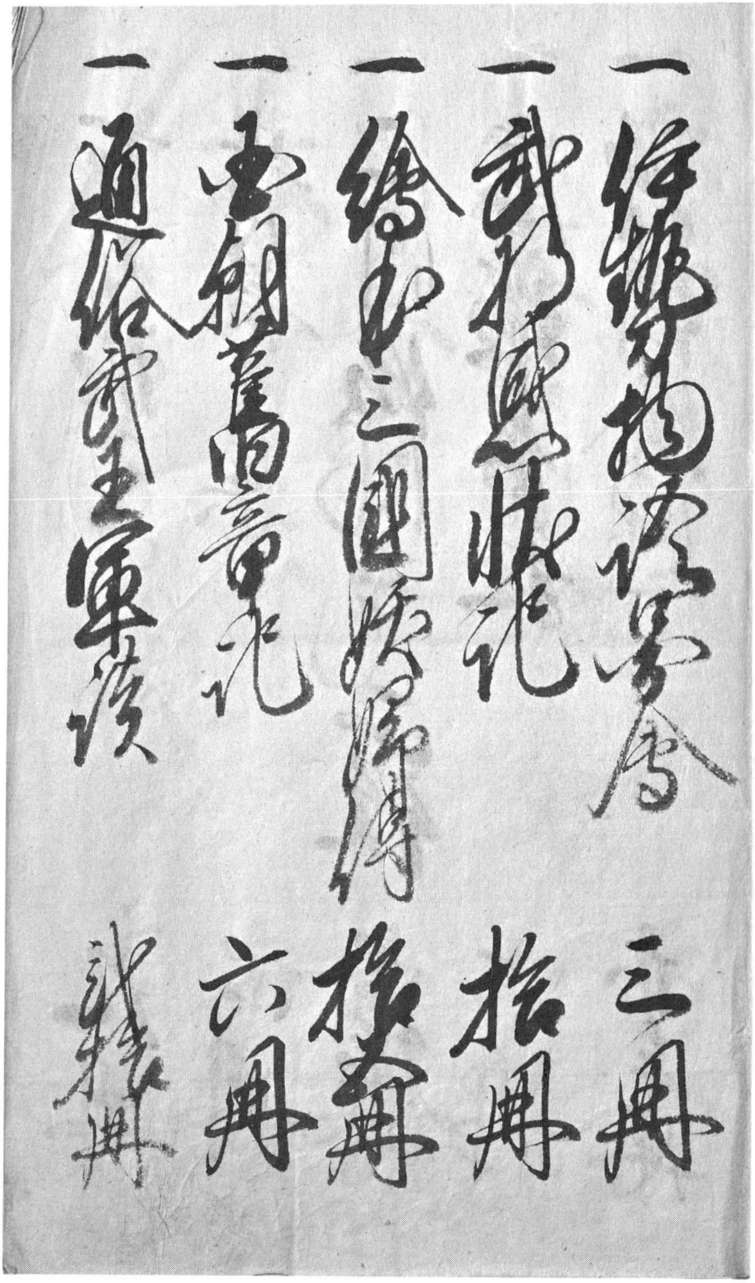

一　経籍訪古志　三冊

一　武林聞見記　拾冊

一　絵本三国妖婦伝　拾冊

一　書朝舊聞音記　六冊

一　通俗武王軍談　弐拾冊

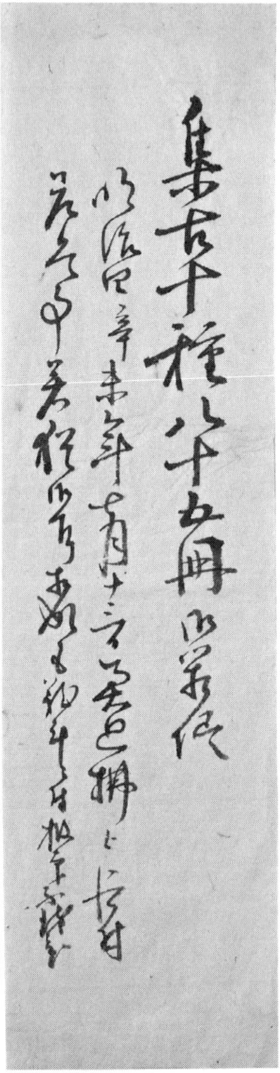

一　古刀銘盡　九冊

一　貴耳集　四冊

一　三河後風土記正説　四拾冊

一　唐鑑音註　六冊

一　[illegible]将論師　廿壱冊

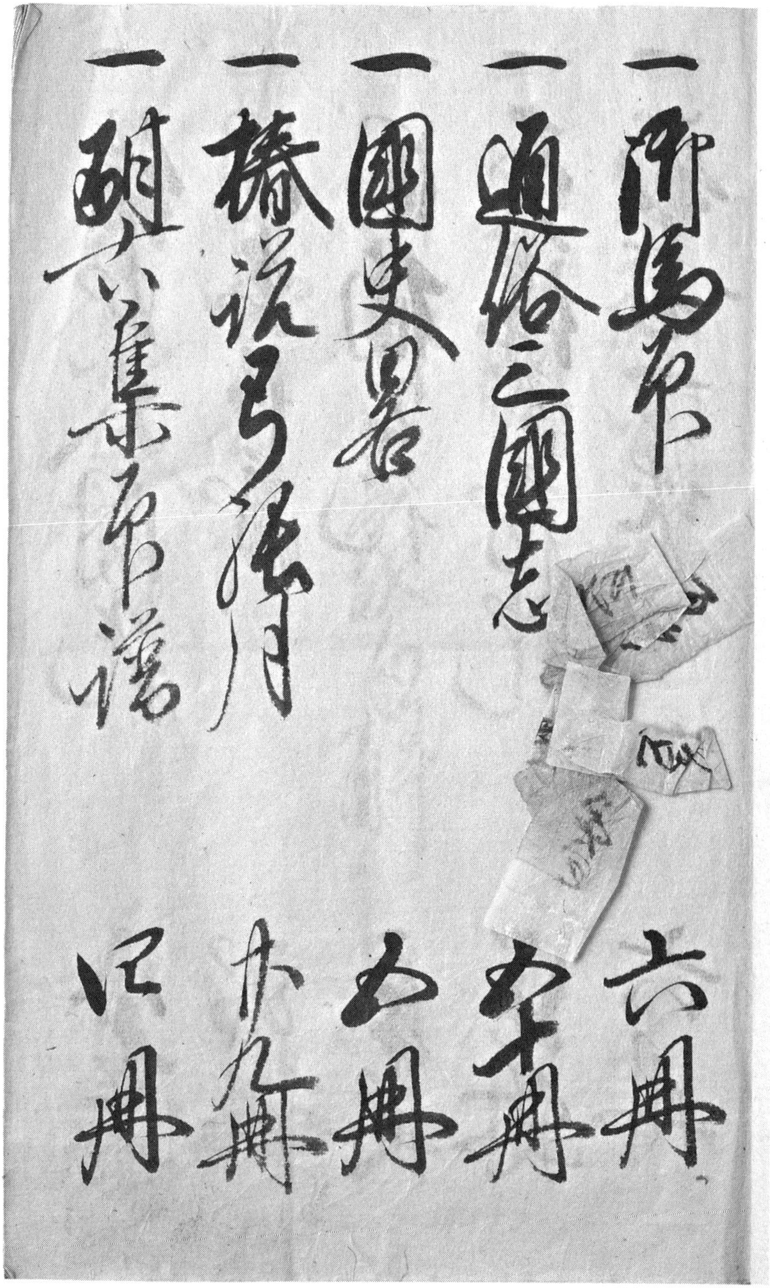

一 御馬印 六冊
一 通俗三國志 五十冊
一 國史畧 五冊
一 椿説弓張月 廿九冊
一 顧氏集古印譜 四冊

一 古文孝經　九冊

一 貴堂集　四冊

一 三河後風土記正説　四拾冊

一 唐詩畫譜　六冊

一 澤博倫師　廿壱冊

一 御馬印　六冊

一 通俗三國志　五十冊

一 國史略　五冊

一 椿説弓張月　廿九冊

一 顧氏集古印譜　四冊

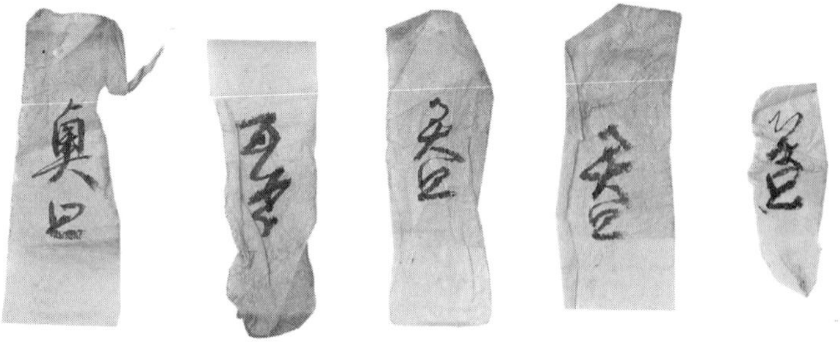

一 絵本太閤記　八十四冊
一 同忠臣蔵　弐十冊
一 同楠公記　三十冊
一 天保武鑑　四冊
一 群書一覧　六冊

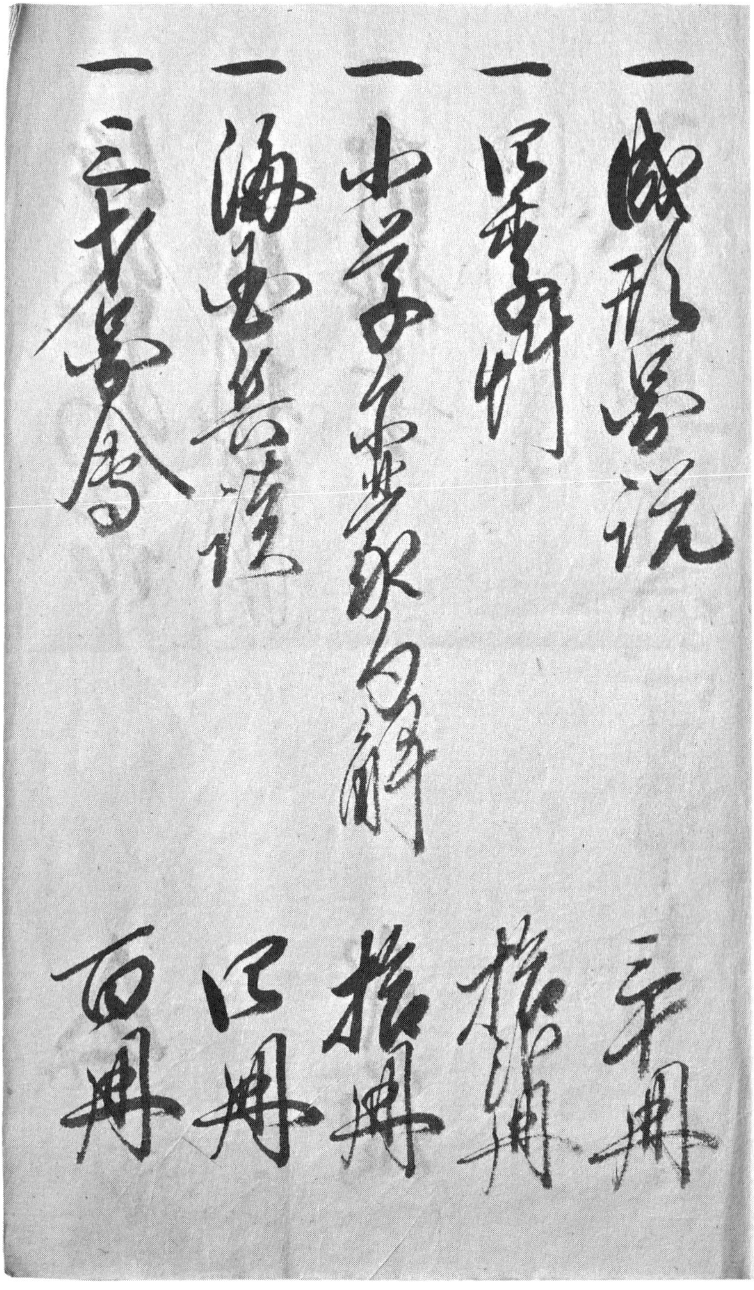

一 陣形図説　三冊

一 呉子解　拾冊

一 小学示蒙句解　拾冊

一 海国兵談　四冊

一 三才図会　百冊

一 伊勢物語
附 伊勢系譜
一 御秘書

全

武相

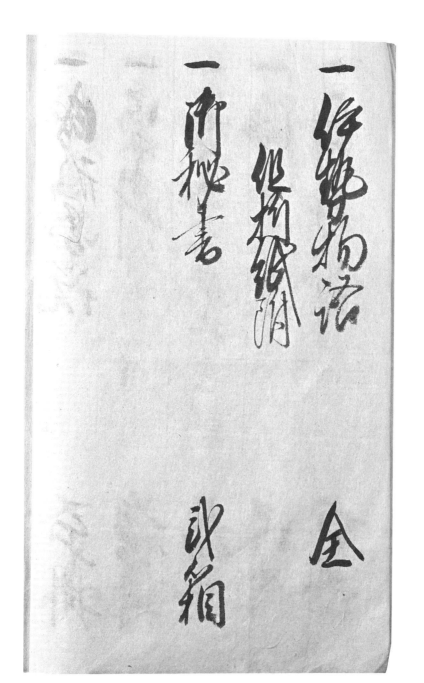

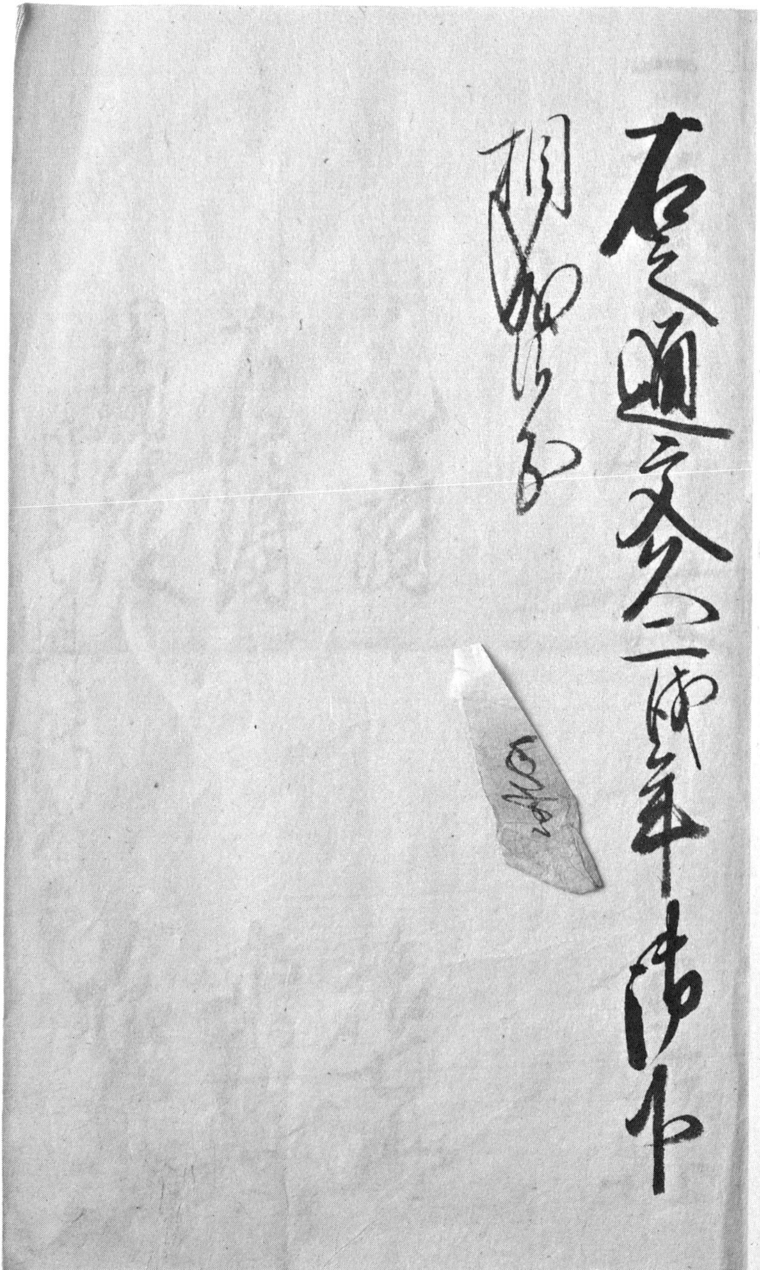
右之通文久三亥年清書

一 緋縮緬袷
紙撚紙包

一 御秘書

全

武綱

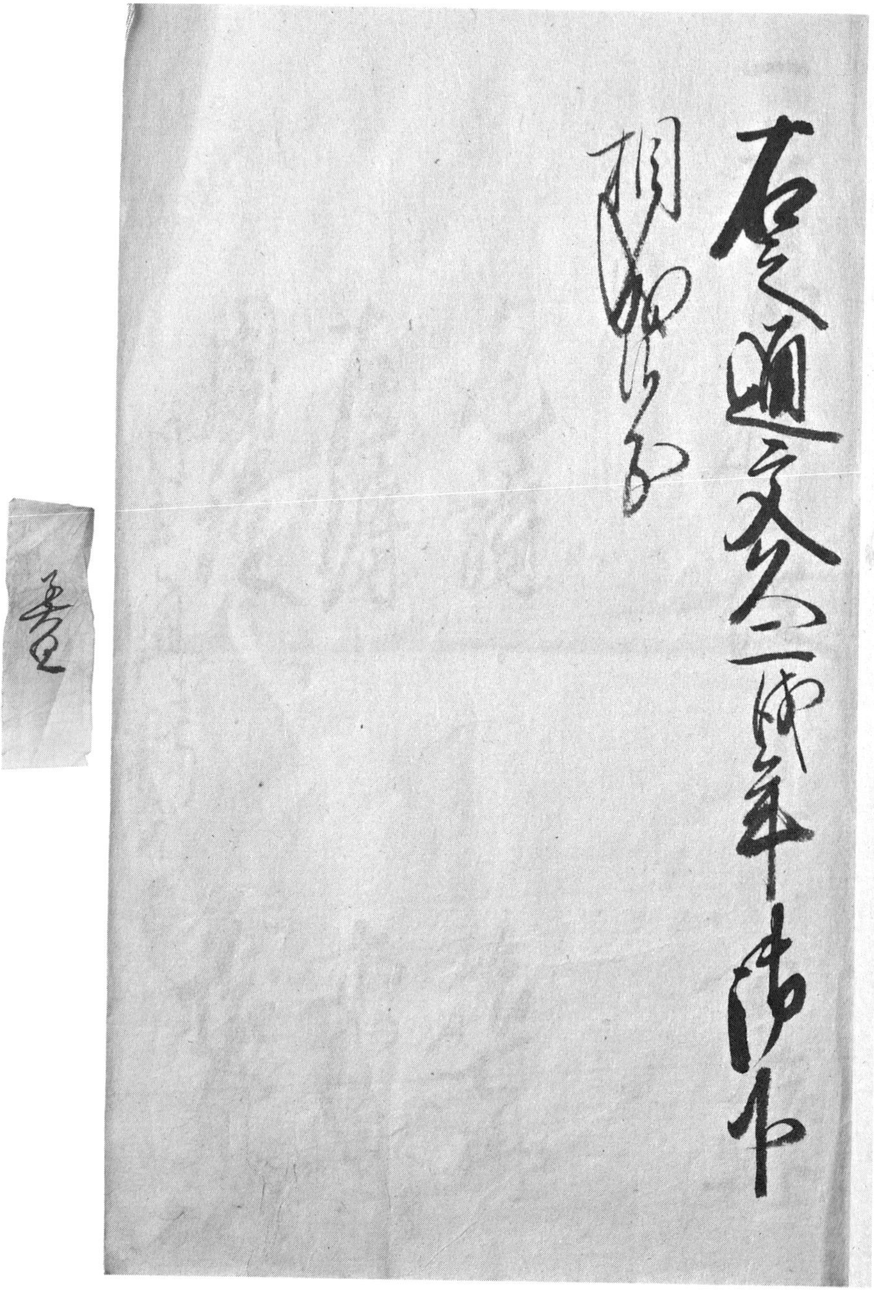

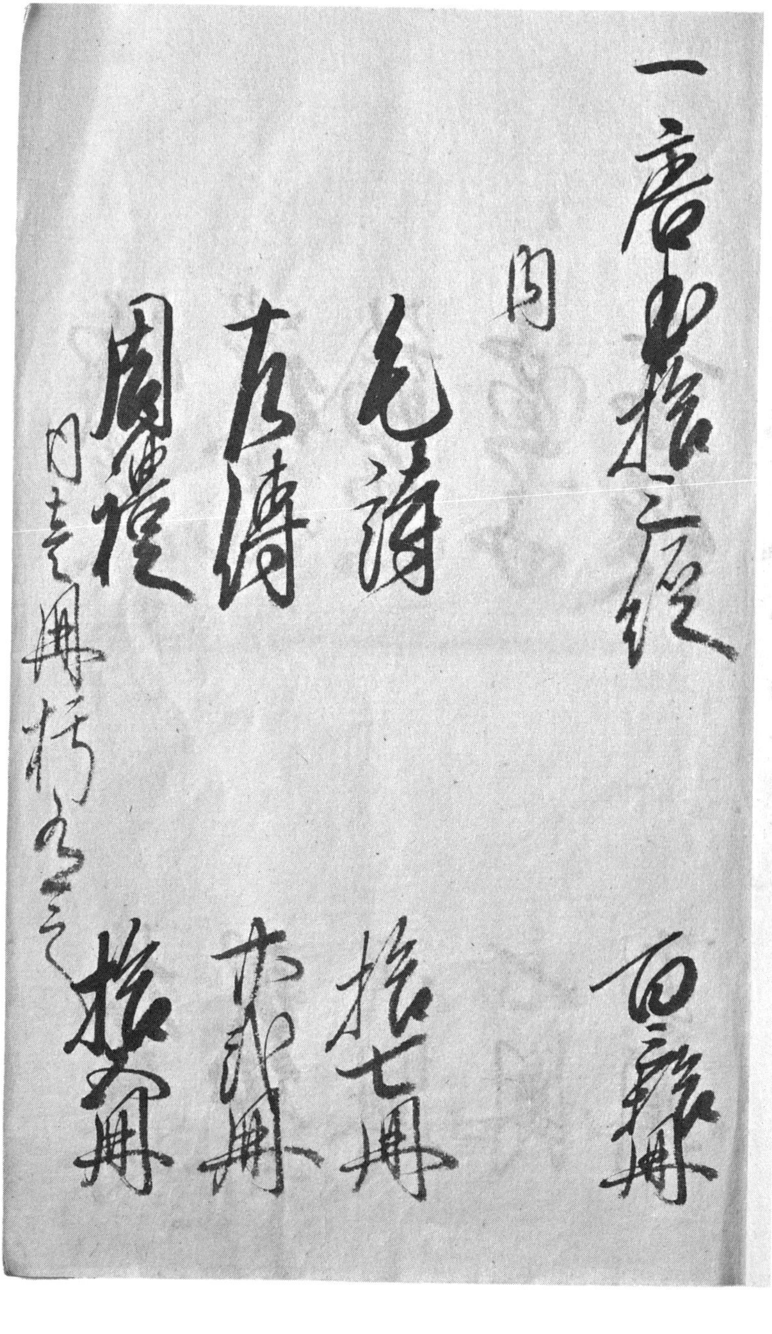
一唐本拾三経
毛詩　拾七冊
左伝
周礼

儀禮　拾貳冊
禮記　貳拾冊
論語　四冊
孟子　七冊
孝經　壹冊

爾雅　四冊

尚書　八冊

周易　六冊

公羊傳　拾冊

穀梁傳　六冊

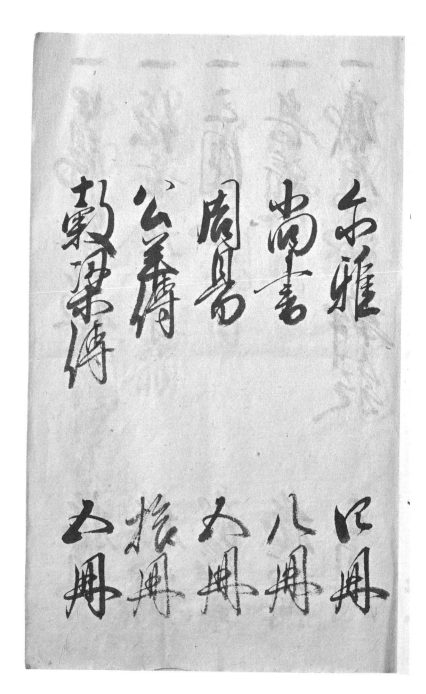

一　甲陽軍鑑　拾冊

一　信玄全集　拾壱冊

一　三国志　弐拾冊

一　吾鏡　拾六冊

一　職原抄私辨疑　三冊

一 諸家知譜拙記　壱冊

一 令義解　拾壱冊

一 本朝編目　廿六冊

一 増益三重韻　壱冊

一 萬物事大全調法記　小横本　弐冊

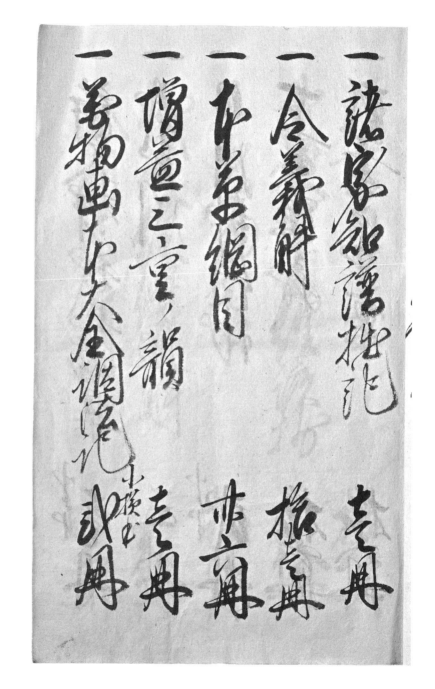

一　詩文神可戴安積艮斎　中本　壹冊

一　武玉川　三冊

一　日用封侍記　中本　弐冊

一　七書講義　拾冊

一　群書治要　拾弐冊

一 草書字彙　拾四冊

一 武経七書経諺解　拾八冊

一 平家物語　拾弐冊

一 儀礼経伝通解　三拾冊

一 合類大節用　拾二冊

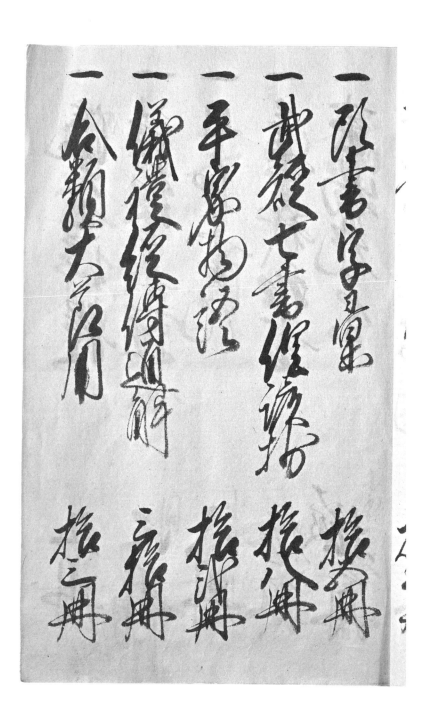

一 瀛奎律髓 九冊

一 詩經集註 四冊

一 日本書紀 八冊

一 集義和書 拾冊

一 事物紀原 大坂 拾冊

一　謡本　小本　揃二冊

一　尚書　七冊

一　三重韻　小本　壱冊

一　和漢名数大全　同　壱冊

一　武教全書　七冊

一 武教小学　壱冊

一 貞観政要　六冊

一 鍾馗の画　壱枚

但去冬有之

一 大和物画帖　大坂　壱帖

一 諸禮一統集　七冊

一 廣金石韻府　六冊

一 新刻出象宋　三冊

一 古文孝經正文　壱冊

一 鍾鼎彝器款識　六冊

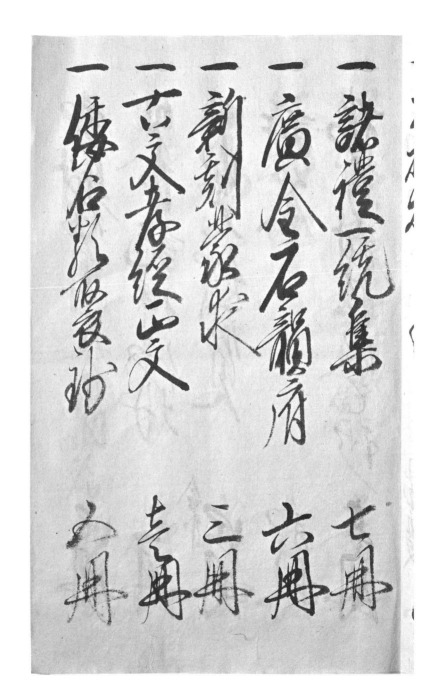

一　武射必用　七冊

一　日本記神代抄　三冊

一　日本王代一覧　七冊　余

一　詩箋　弐冊

一　楊弓射法服色抄　壱冊

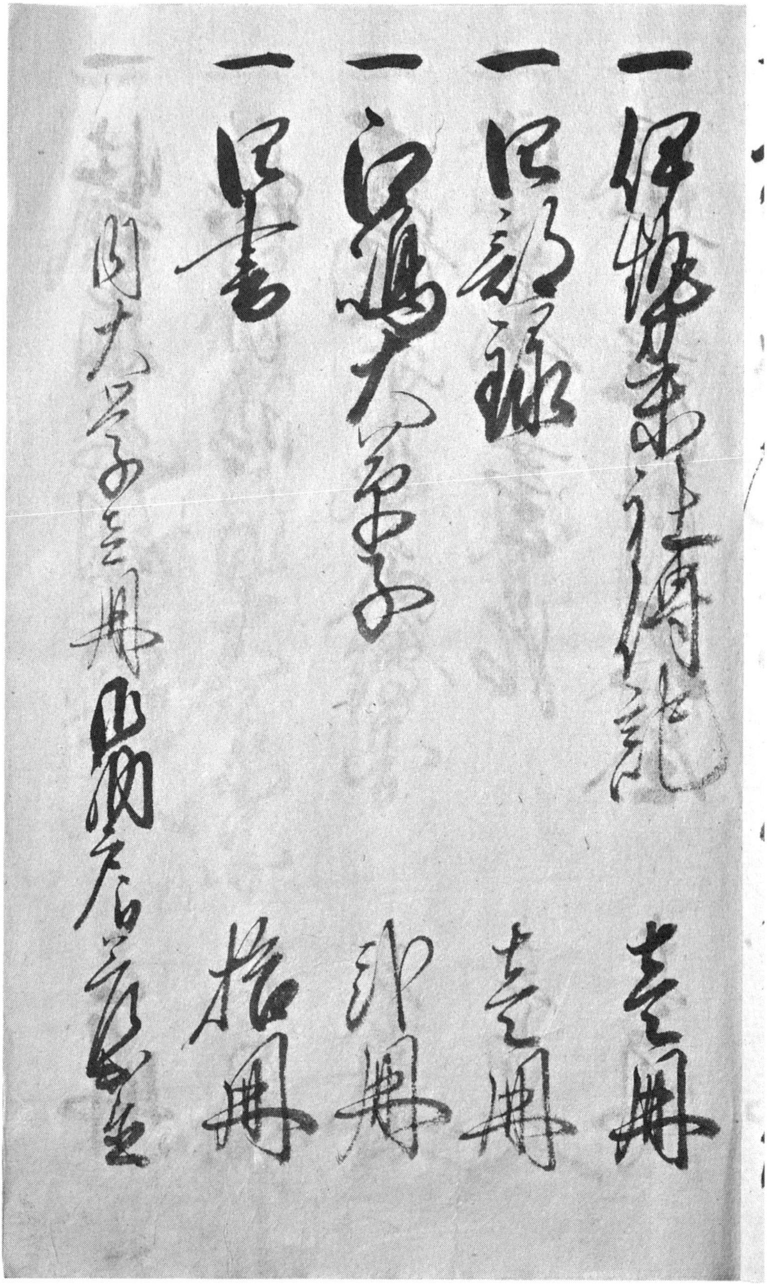

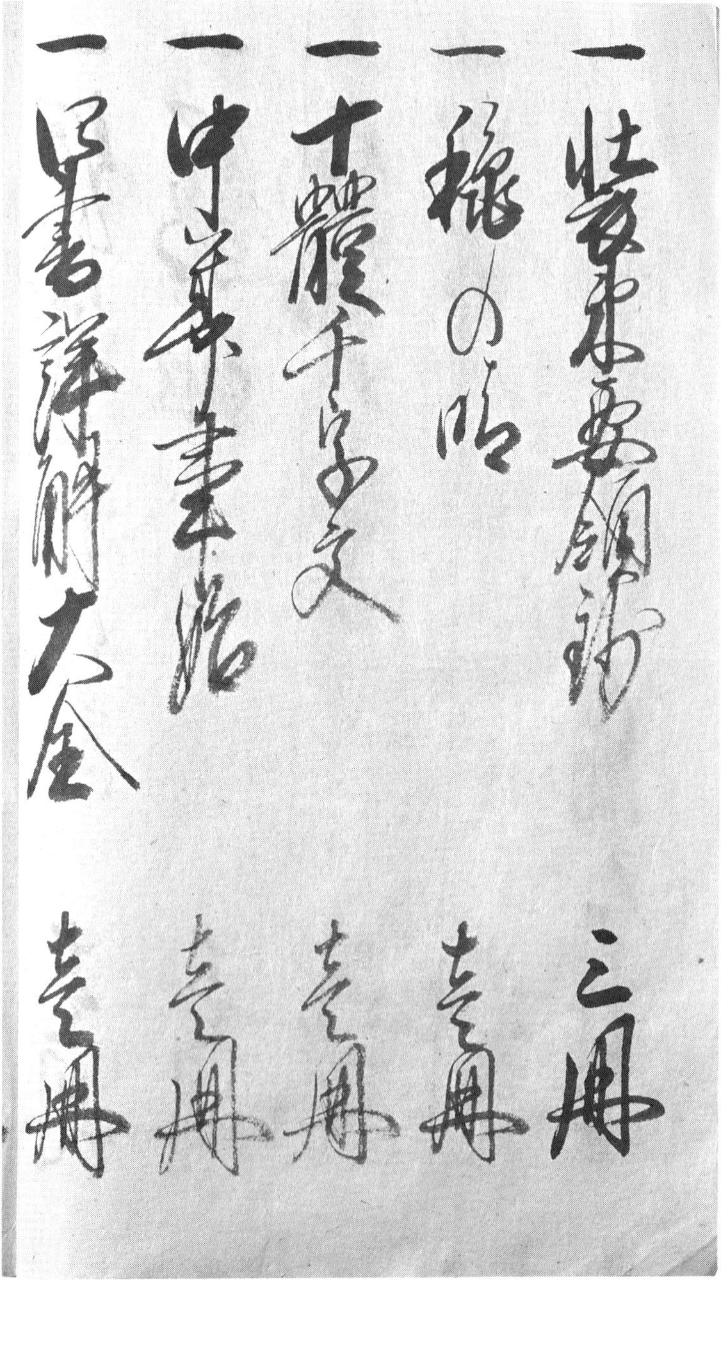

一 装束要領録　三冊
一 雛の略　壱冊
一 十體千字文　壱冊
一 中華事始　壱冊
一 早書詳解大全　壱冊

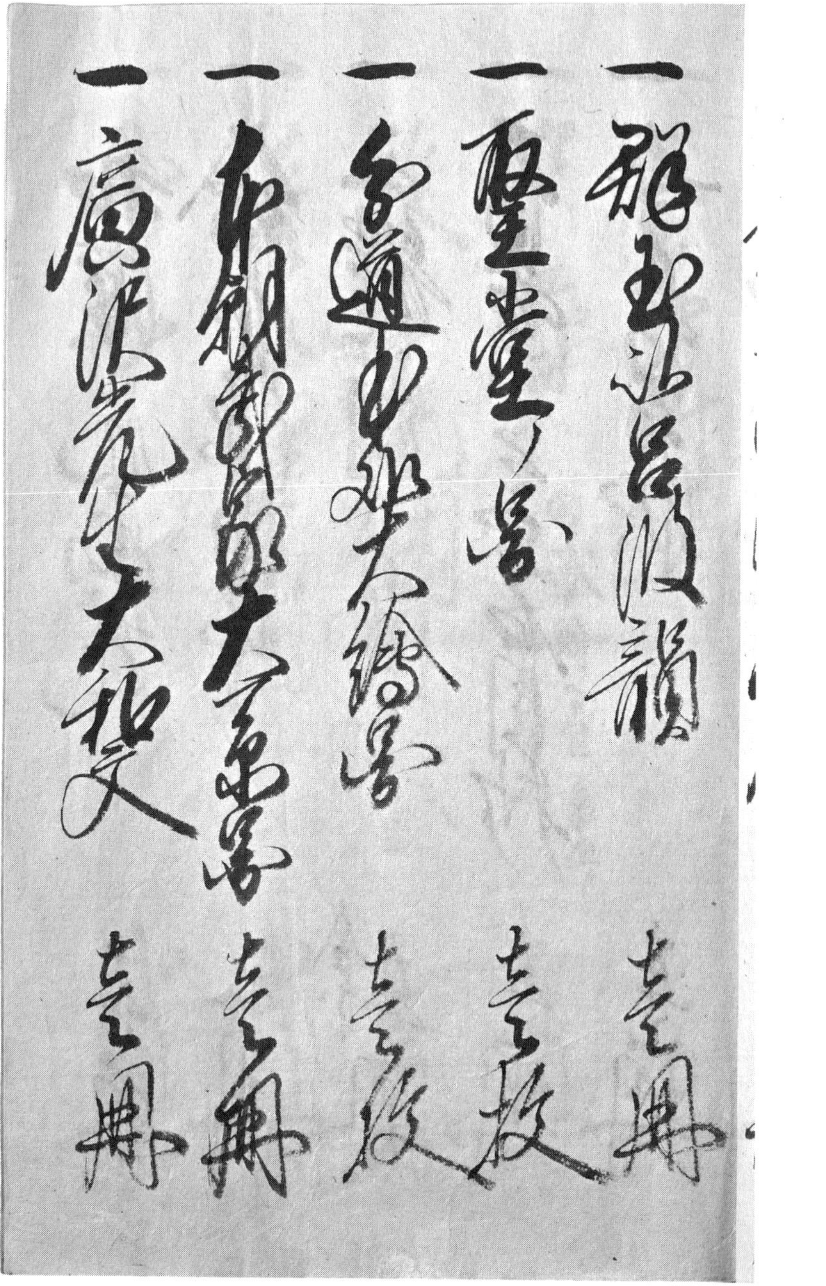

一　和漢之風画苑　壱冊

一　絵本深山廉　三冊

一　三體詩　余　壱冊

一　大男君て多右衛門打　壱冊

一　女手習状　壱冊

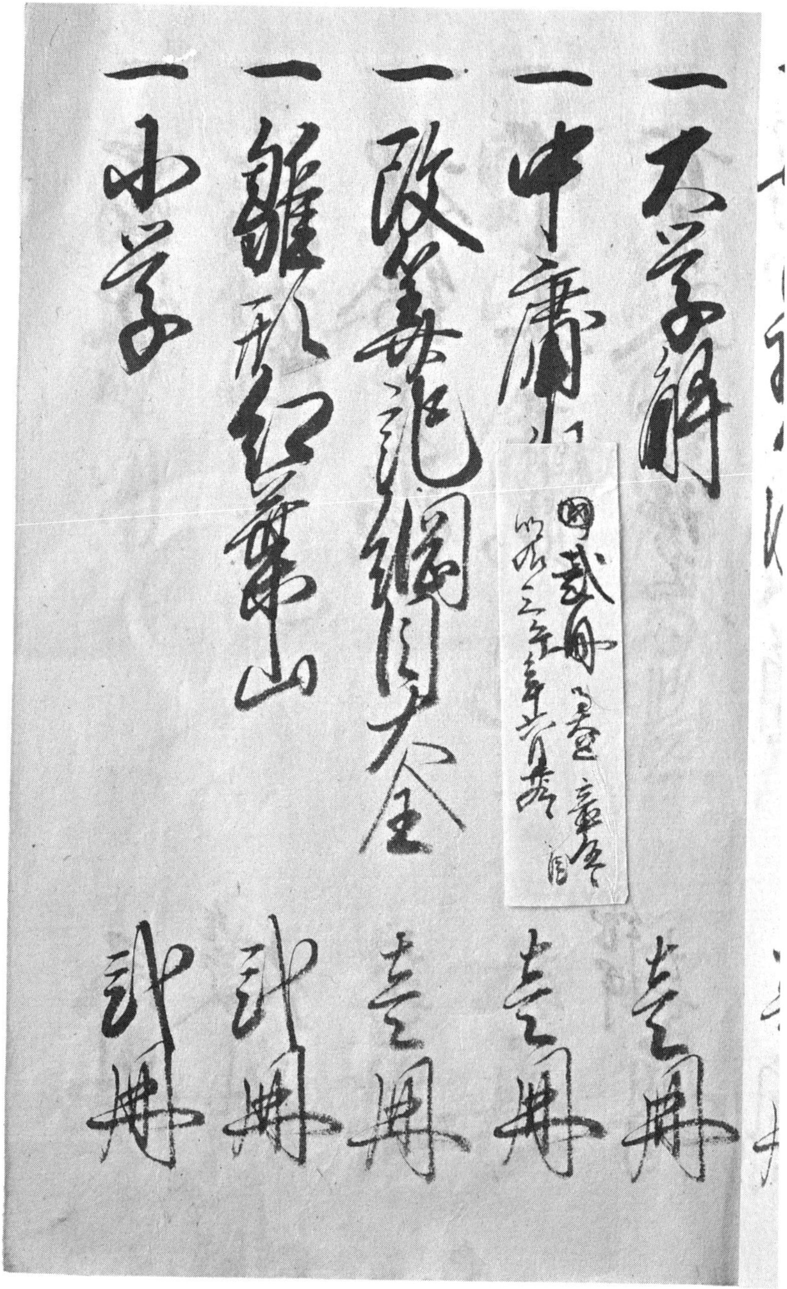
一 大学解 壱冊
一 中庸解 壱冊
一 [illegible]大全 壱冊
一 [illegible]山 弐冊
一 小学 弐冊

[illegible] 貳冊 [illegible]

一　和漢名画苑　壱冊

一　絵本深山廉　三冊

一　三體詩　金　壱冊

一　大[illegible]　壱冊

一　女手習[illegible]状　壱冊

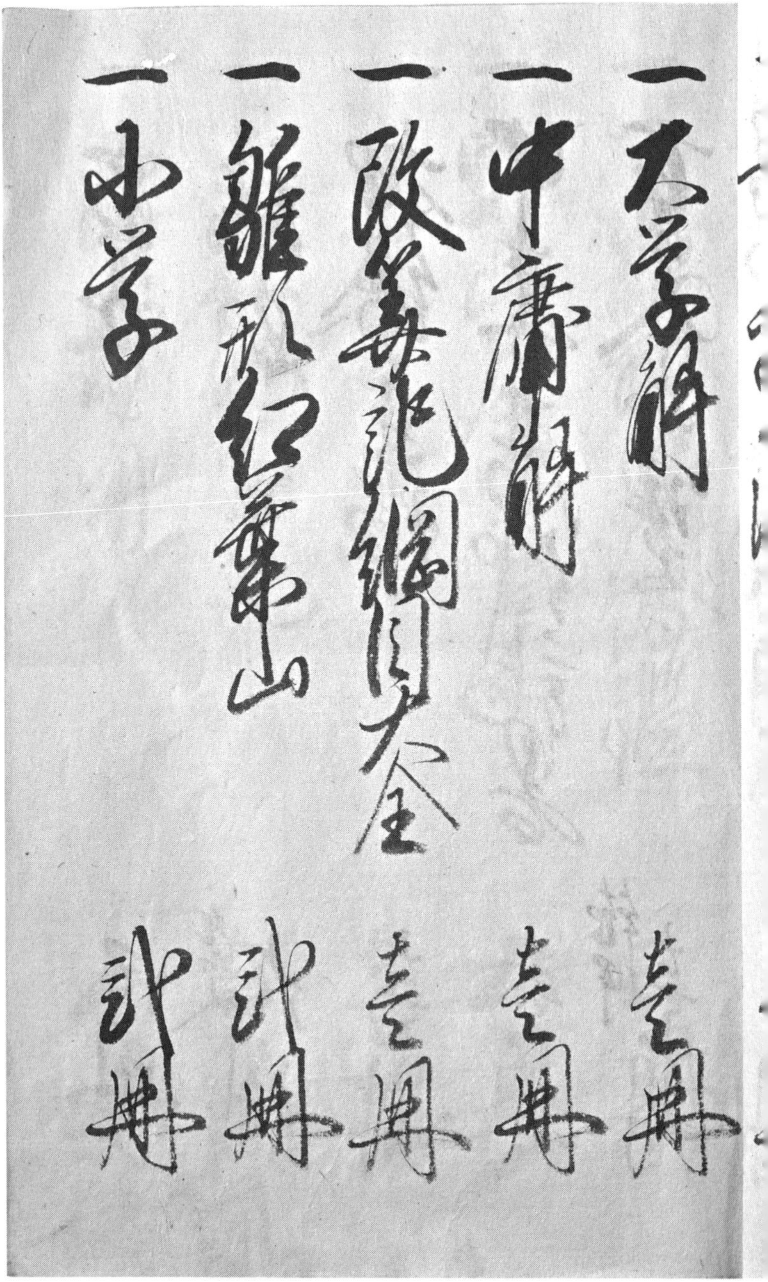
一 大学解 壱冊
一 中庸解 壱冊
一 小学 弐冊

一 畫手 四冊

一 謡本 鬼交 九冊

一 押絵手鑑 壱冊

一 中華歴代記略 壱冊

一 古文真寶 鈍押 壱冊

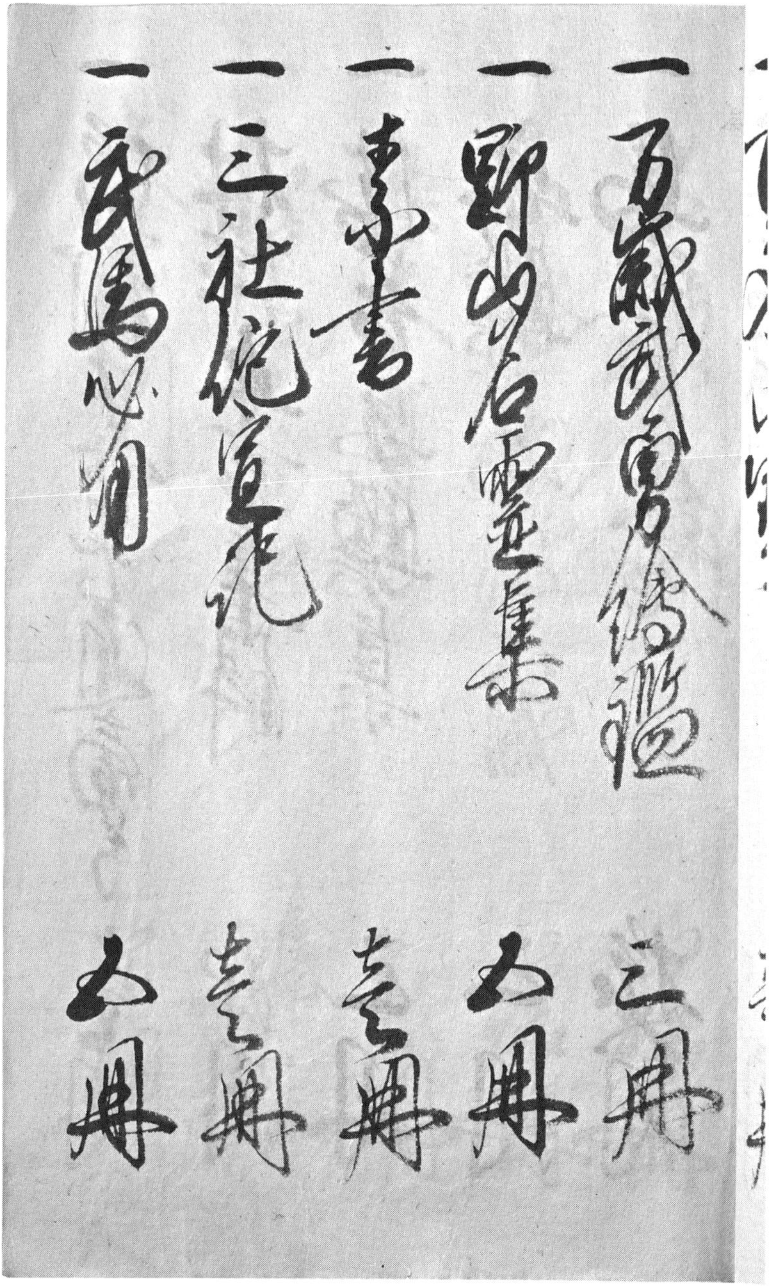

一　増補華夷通商考　壱冊

一　杜律五言集解　弐冊

一　假名安驥集　三冊

一　安驥集　三冊

一　馬醫方全書　拾冊

一 安驥集　弐拾冊

一 病論馬之療大概　弐拾冊

一 具太郎　壱冊

一 和漢書略　合巻 壱冊

一 養生訓　八冊

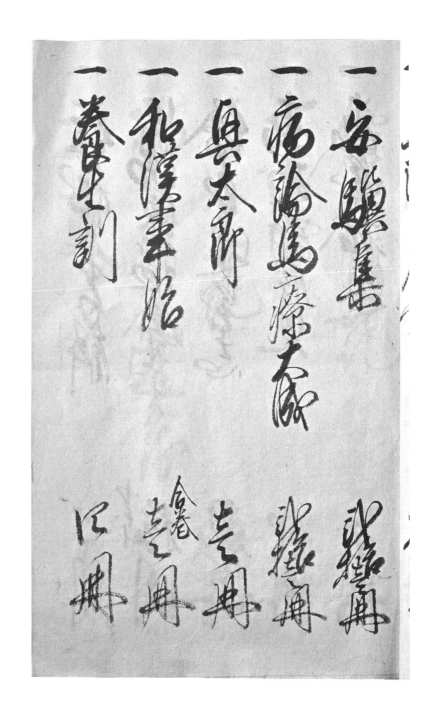

一　詩法掌中解　七冊

一　羅陽連環全集　中本　拾冊

一　繪本通寶志　拾冊

一　畫巧潛覧　八冊

一　畫図拾遺　壱冊

一 續撰清正記　七冊
一 七書講　九冊
一 前太平記　拾冊
一 楊弓射禮蓬左抄　壹冊
一 二十一史

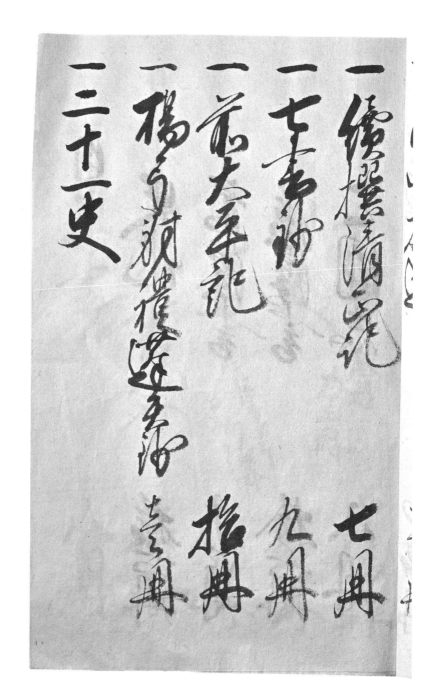

自

史記　拾冊

前漢書　弐冊

後漢書　拾冊

三國志　八冊

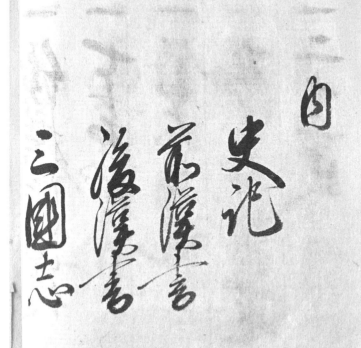

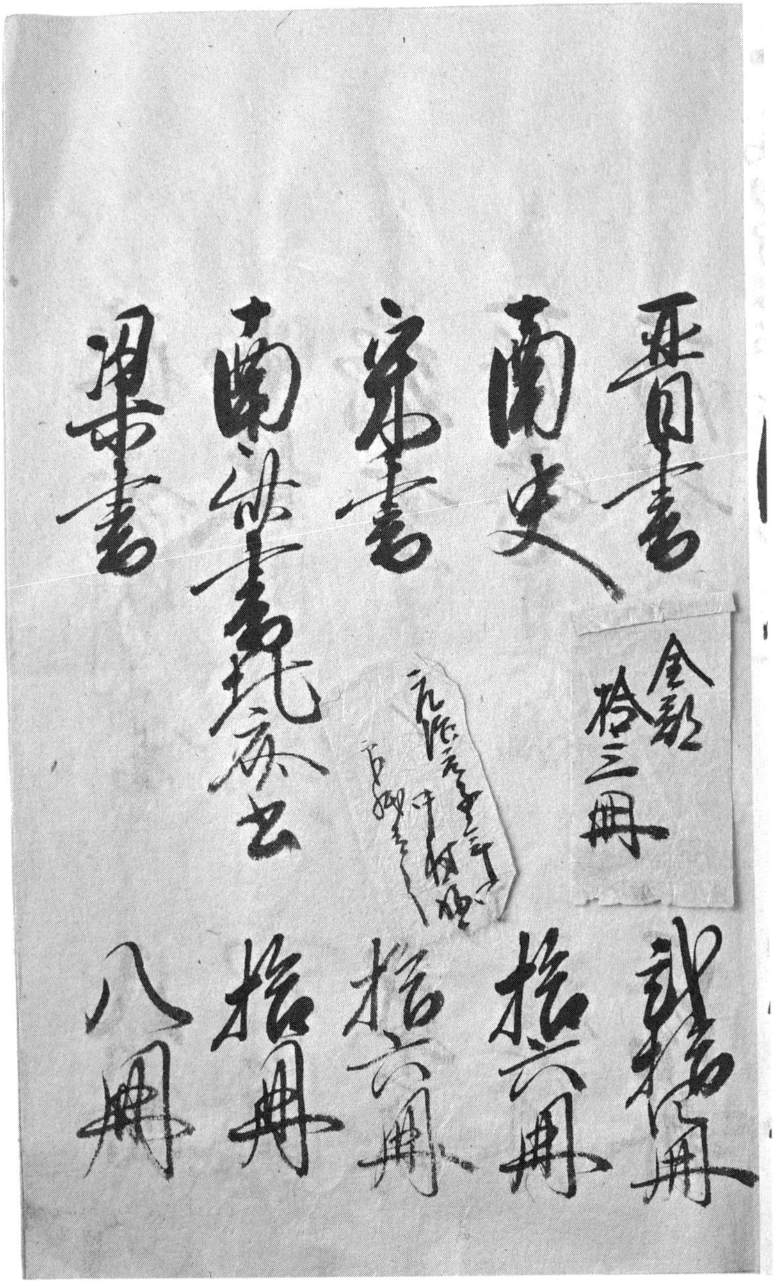
晋書 弐拾冊
南史 拾六冊
宋書 拾六冊
南斉書乾[illegible] 拾冊
梁書 八冊
全部 拾三冊

目

史記　拾冊

前漢書　卅冊

後漢書　拾冊

三國志　八冊

晋書　弐拾冊

南史　拾六冊

宋書　拾六冊

南斉書[illegible]也　拾冊

梁書　八冊

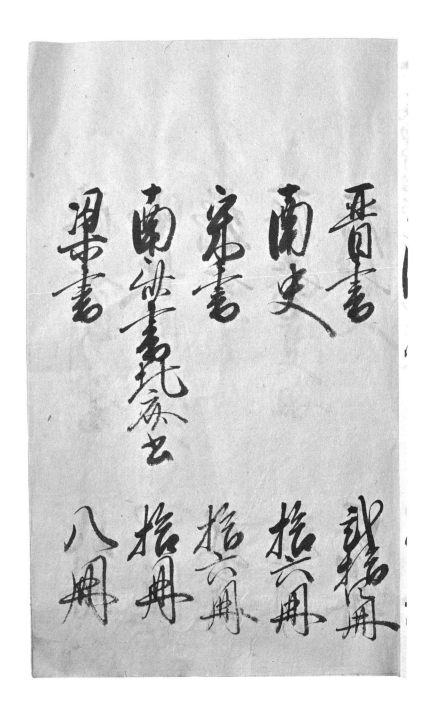

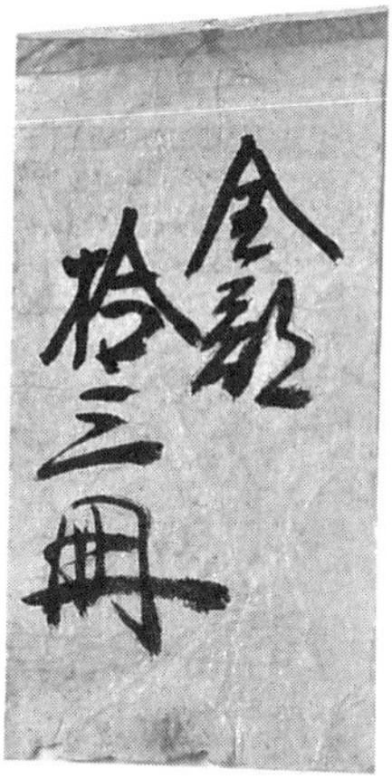
全部
拾三冊

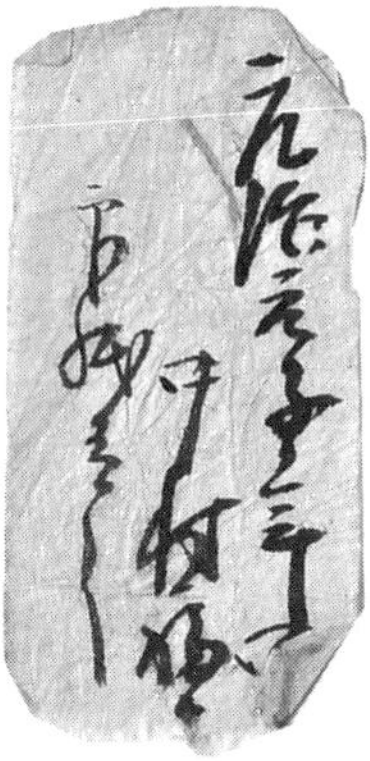

陳書周書　八冊
北史　弐拾冊
魏書　弐拾冊
隋書　拾六冊
唐書　三拾冊

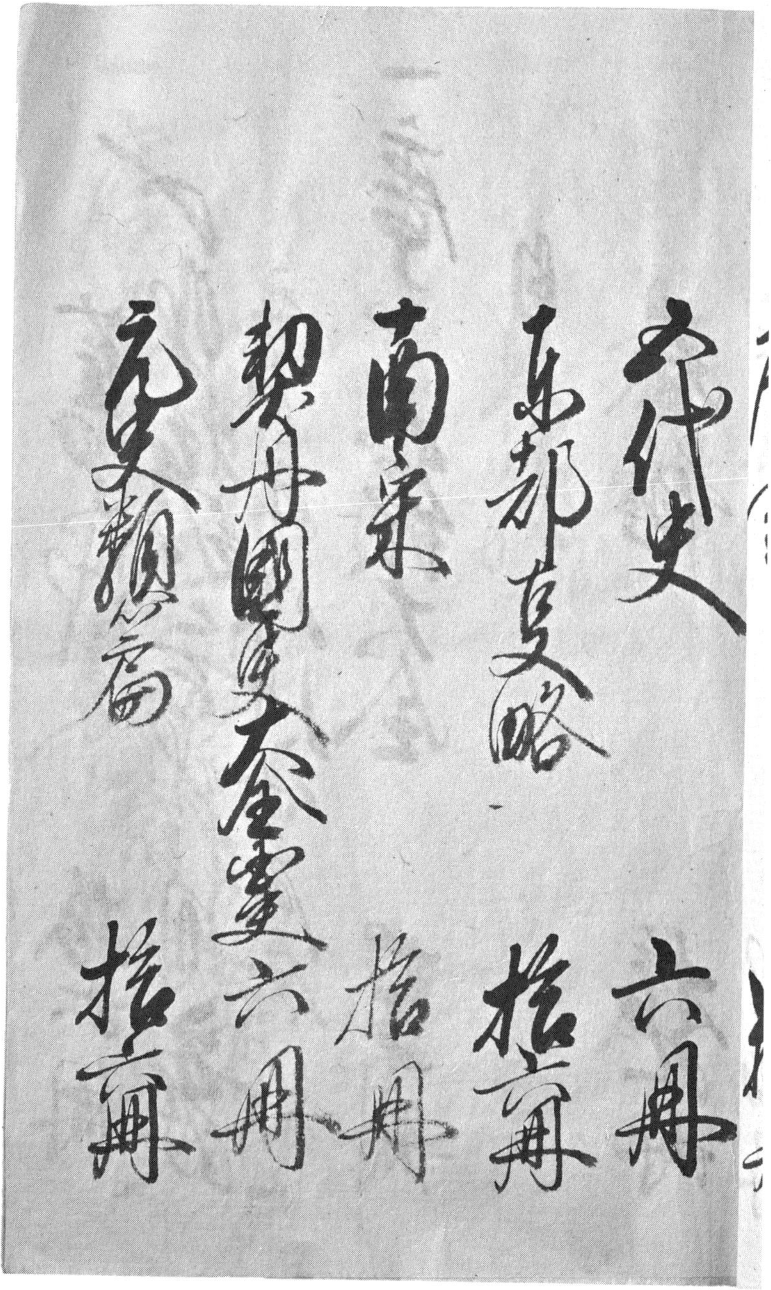

五代史　六冊
東都事略　拾冊
南宋　拾冊
契丹國志大金國志　六冊
元史類編　拾冊

一 舊五代史 拾六冊

一 北[illegible]之[illegible] 壹冊

[illegible]年八月廿八日[illegible]

一 唐宋文[illegible]大全 七十冊

白

春徳 拾九冊

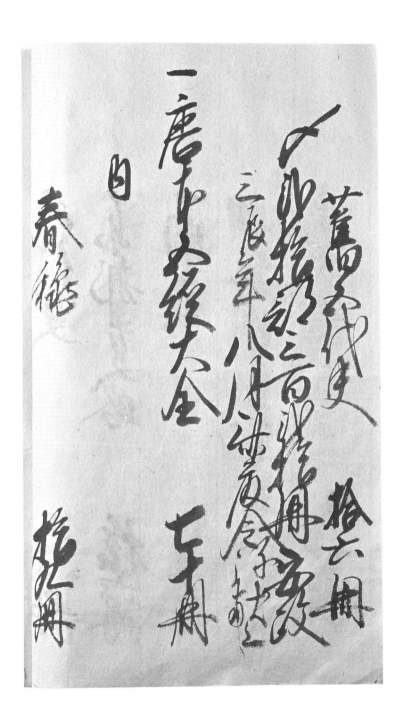

書經　括冊

易經　括二冊

詩經　括一冊

禮記　括七冊

一　唐本七書標題　六冊

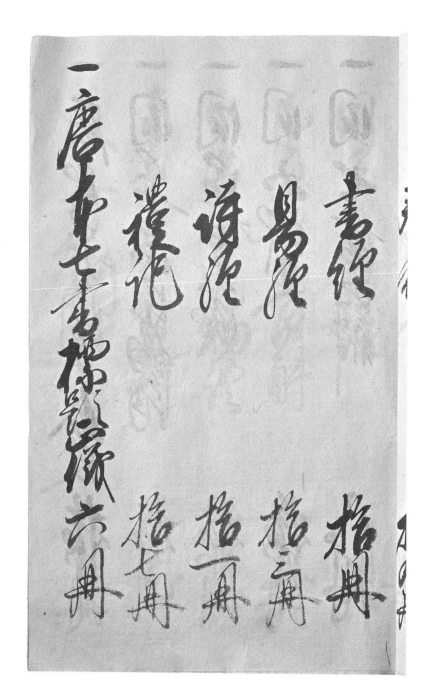

一 唐[illegible]墨書圖[illegible]合致　拾冊

一 同墨書西[illegible]錦[illegible]　拾冊

一 同墨書大成　拾冊

一 同五代史　拾冊

一 同七書直解　八冊

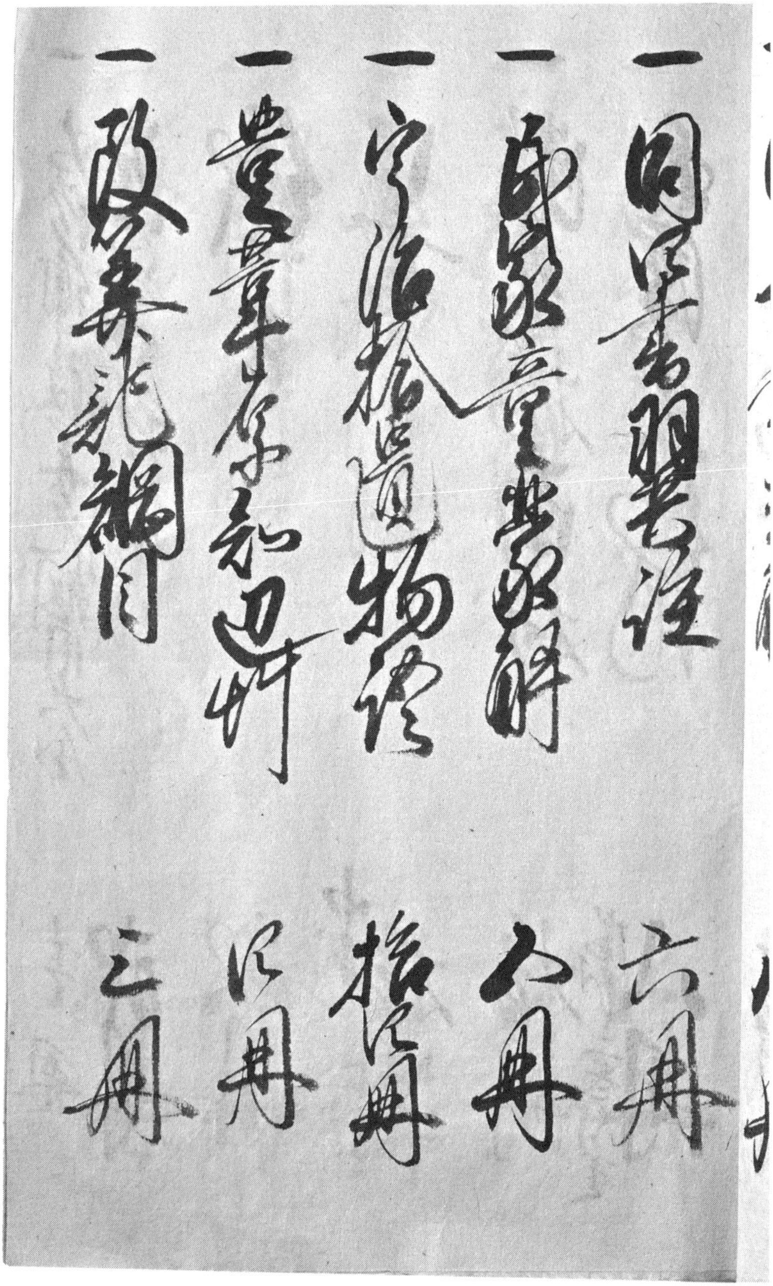
六冊
八冊
拾冊
四冊
三冊

一 大増補改算法統宗大全　壱冊

一 数学初問　弐冊

一 継子算　四冊

一 呈書　中本 拾冊

一 断易指南抄　拾冊 揃不申二巻目無之

一 和漢年代記　八冊

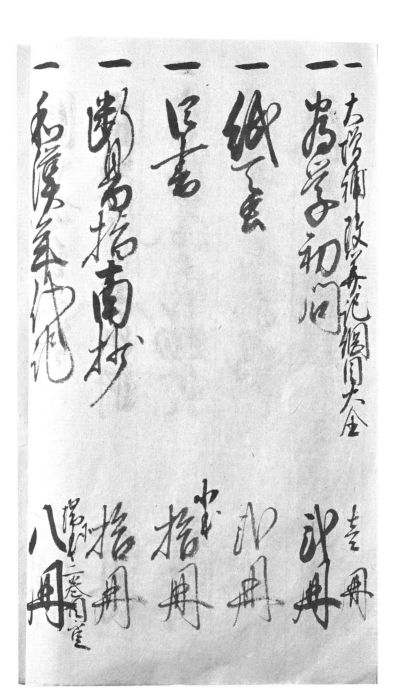

一 為学初問　四冊

一 天経或問　三冊

一 兵機活法　四拾冊

一 武用辨略　八冊（九冊入）

一 梅花心易　五冊

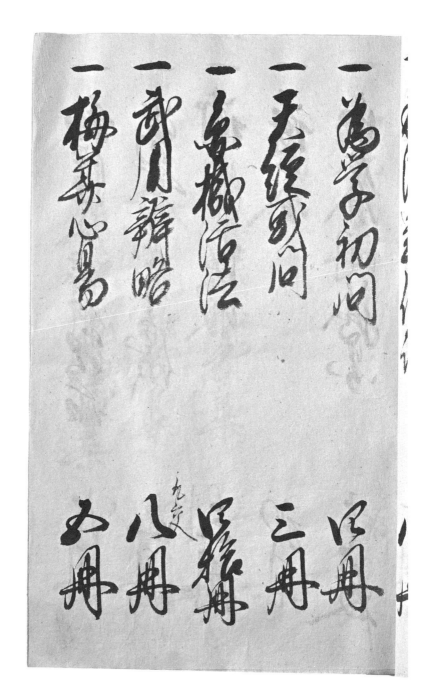

一 和漢合璧[illegible]　四冊

一 壽世[illegible]　五冊

一 補注蒙求　三冊

一 詩箋　弐冊

一 [illegible]問答　壱枚

一　和哥集　古今[illegible]冊

同

後撰和哥集　弐冊

拾遺和哥集　弐冊

後拾遺和哥集　弐冊

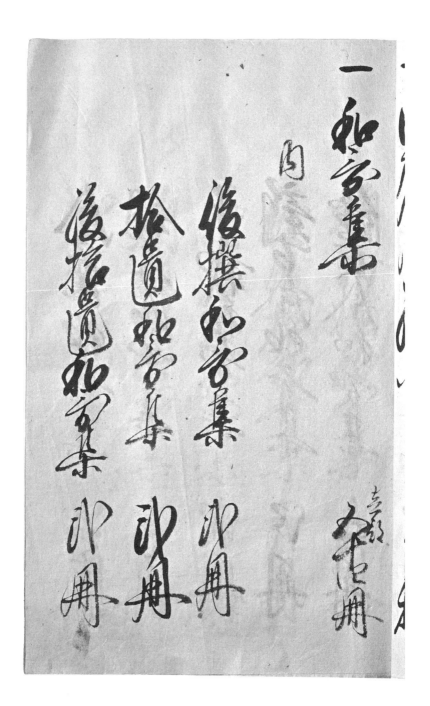

金葉和歌集　壱冊
詞花和歌集　壱冊
千載和歌集　弐冊
新古今和歌集　弐冊
続古今和歌集　三冊

新勅撰和歌集　弐冊
續後撰和歌集　弐冊
續拾遺和歌集　弐冊
新後撰和歌集　三冊
玉葉和歌集　四冊

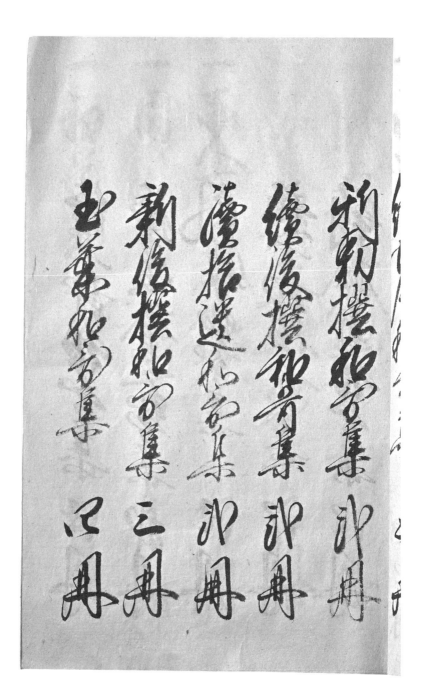

續千載和哥集　一冊

續後拾遺和哥集　部冊

風雅和哥集　一冊

新千載和哥集　一冊

新拾遺和哥集　一冊

一 新後拾遺和歌集　弐冊

一 新続古今和歌集　四冊

一 百人一首拾穂抄　四冊

一 同　壱冊

一 初学和歌式　七冊

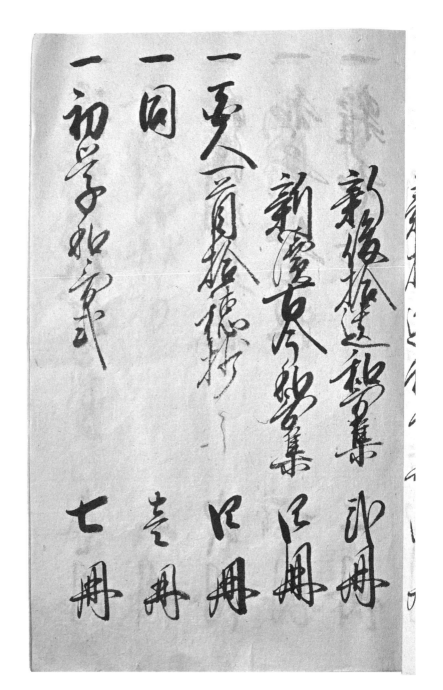

一　源氏大鏡抄　壱冊

一　同　三冊

一　和漢朗詠集　弐冊

一　和哥八重垣　小本　七冊

一　雑和集　二冊

一 管見集 壱冊
一 明題部類抄 壱冊
一 類柑子文集 三冊
一 古語深秘抄 九冊
一 [illegible]覚 八冊

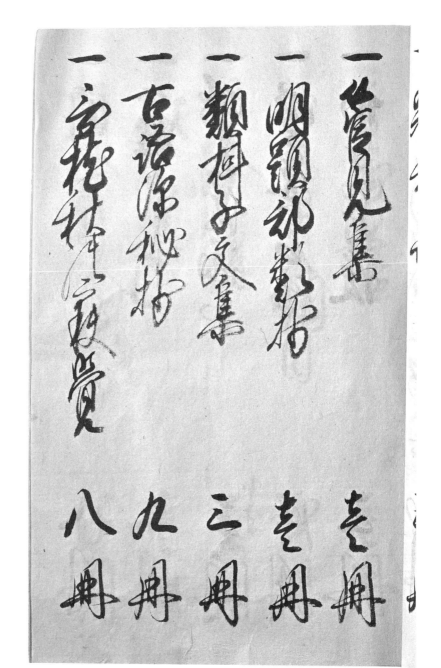

一 同　八冊

一 難らもと　三冊

一 略之法論中　壱冊

一 略注要名法　四冊

一 何ら之読　三冊

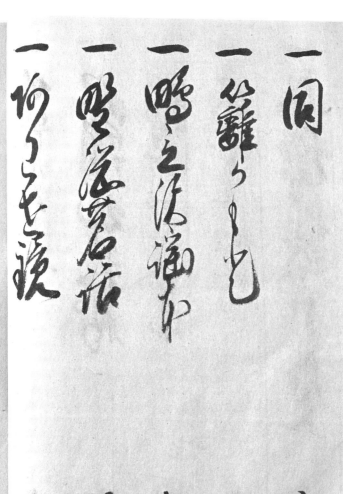

一　華語要略　壱冊

一　事文清紀綱目　弐冊

一　順合小説　小本　壱冊

一　枚乗集　壱冊

一　百人一首拾穂抄　四冊

一 太平記大全　五十冊
一 東鑑　八十三冊
一 玉山講義　壱冊
一 作文初問　壱冊
一 万宝全書　拾二冊

一 書法彙輝　壱冊
一 唐詩帖　壱冊
一 廣沢真詩帖　壱冊
一 論書帖　壱冊
一 香[illegible]化　壱冊

一　行書千字文　弐冊

一　草書千字文　弐冊

一　草書法帖　弐冊

一　秦之帖　壱冊

一　文之蔵　壱冊

一 四合莊子　四冊

一 [illegible]論　四冊

一 [illegible]二[illegible]　弐冊

一 家道訓　三冊

一 [illegible]記　壱冊

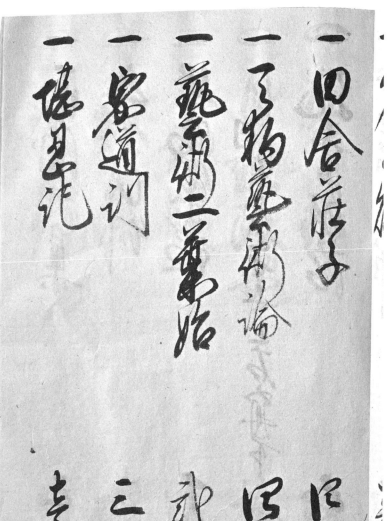

一 南浦文集　三冊

一 牛の外竹　壱冊

一 墨場必携　六冊

但 壱冊ニ七十六ノ上右壱冊而大小不揃

一 孔子家語　五冊

一 稽古録　八冊

一 貞観政要　拾冊

一 大戴礼　八冊

一 穀梁傳　七冊

一 公羊傳　七冊

一 孔叢子　六冊

一 淮南子　六冊

一 白虎通　弐冊

一 風俗通　弐冊

一 尓雅注疏　六冊

一　管子　拾三冊

一　晏子春秋　三冊

一　墨子　五冊

一　春秋集註　拾六冊

一　易経大全　拾弐冊

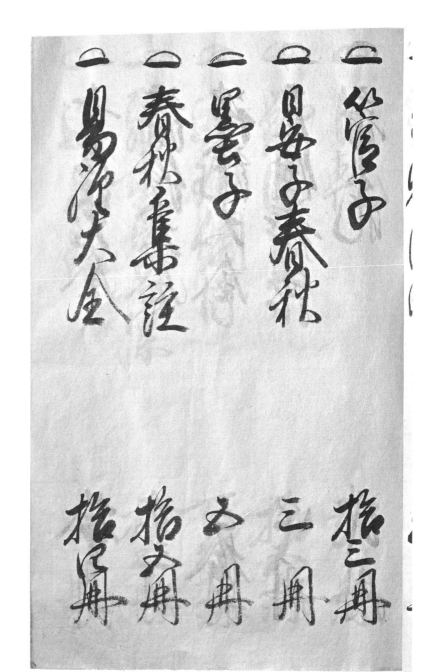

一 書経大全　拾壱冊

一 詩経大全　廿壱冊

一 礼記大全　三拾冊

一 左傳辞話　四冊

一 帝紀　弐冊

一　臣軌　弐冊

一　戰國策　拾冊

一　通鑑綱目　百拾七冊

一　類書字彙　拾冊

一　近思録　四冊

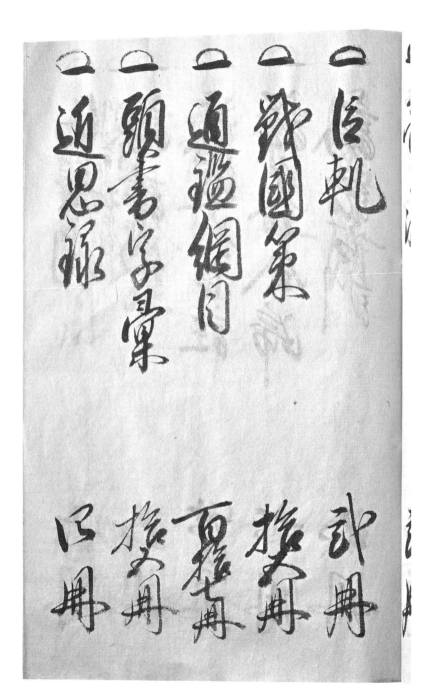

一 助辞詞　六冊

一 論語徴　訓譯示蒙　八冊　四冊

一 文選六臣註　卅三冊

一 譯文筌蹄　六冊

一 論語古訓　八冊

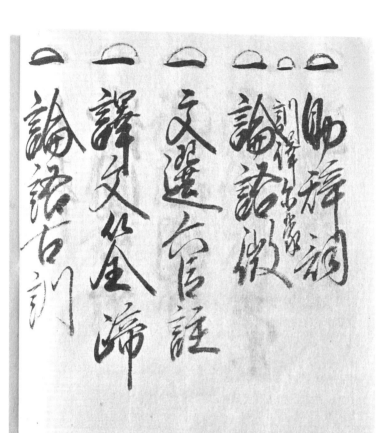

一　閑外傳　拾冊
一　辨道　壹冊
一　辨名　弐冊
一　雅書拾唾　六冊
一　合類節用　拾二冊

一 譯文須知　六冊
一 談苑　六冊
〆六種九部但百弐拾六冊
右御書物返令落手受取候也
安政三辰年八月 [illegible]

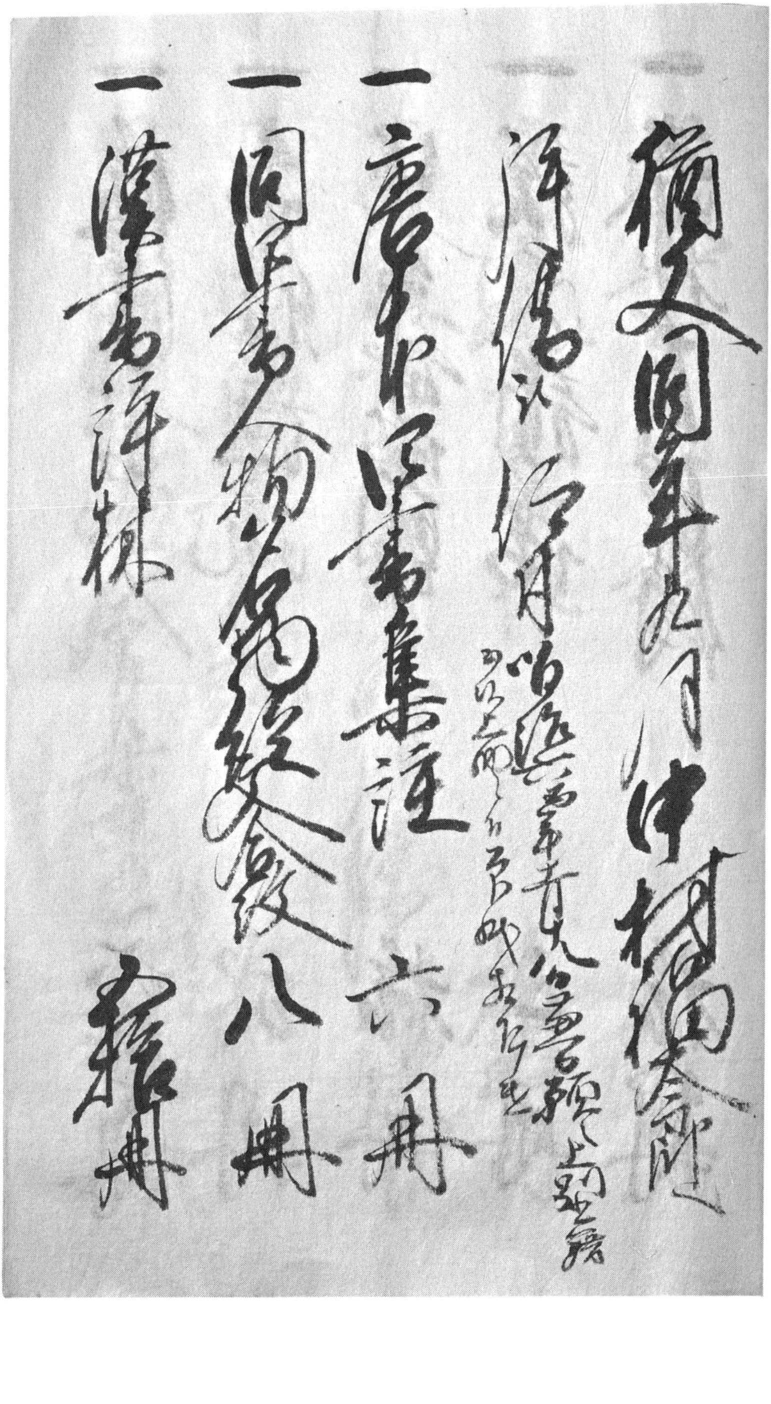

一　後漢書　六拾冊
一　爾雅注疏　弐冊
一　書詩緊頴　拾冊
一　説文韻譜　三冊
一　春秋左氏傳　拾五冊

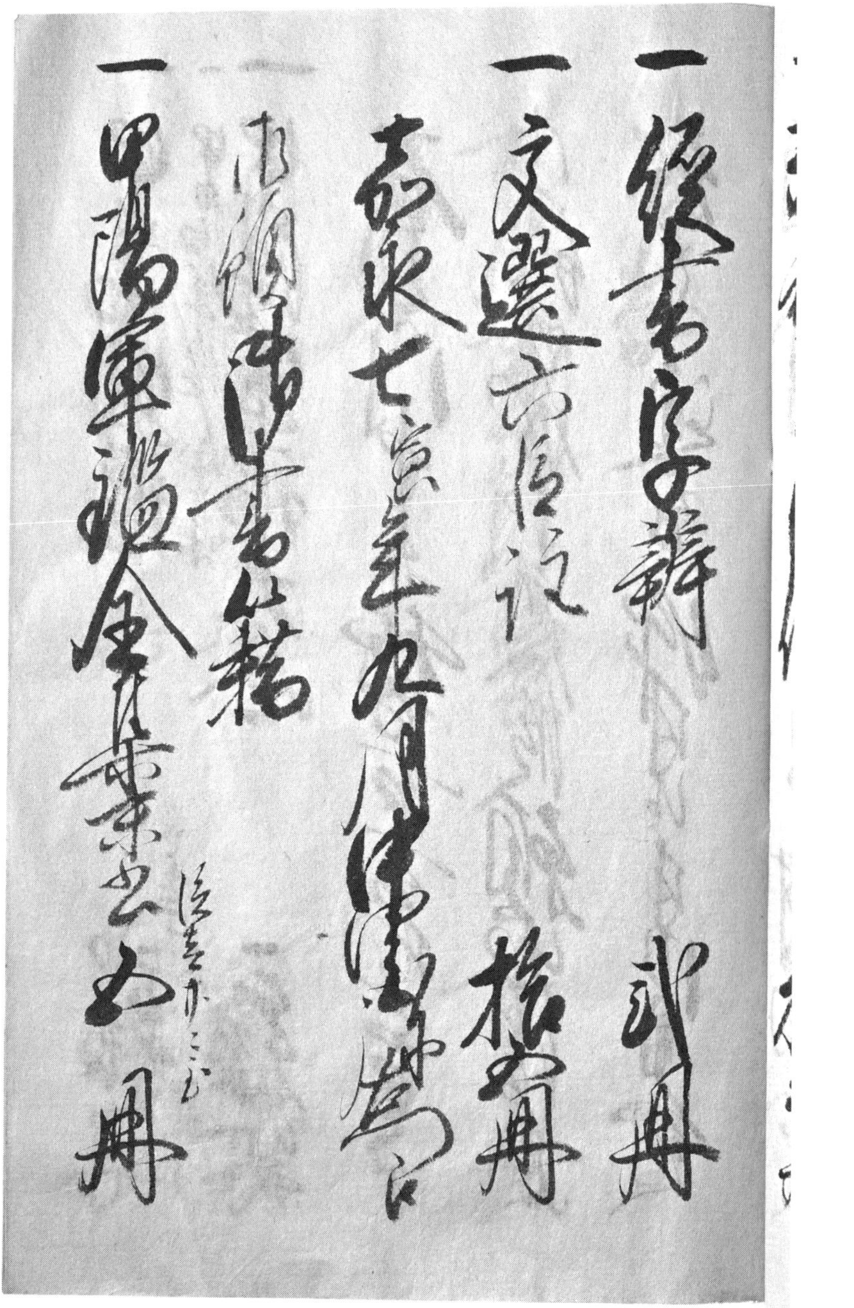
一 經書字辨 弐冊
一 文選六臣注 拾弐冊

一　甲陽軍鑑　　弐拾冊
一　甲陽軍鑑末書　　但シ二十一冊
一　甲陽軍鑑大全　　三拾冊
右之品門弟中稽古書籍ニ候間
出版仕度此段奉願上候
前之通ニ御座候以上

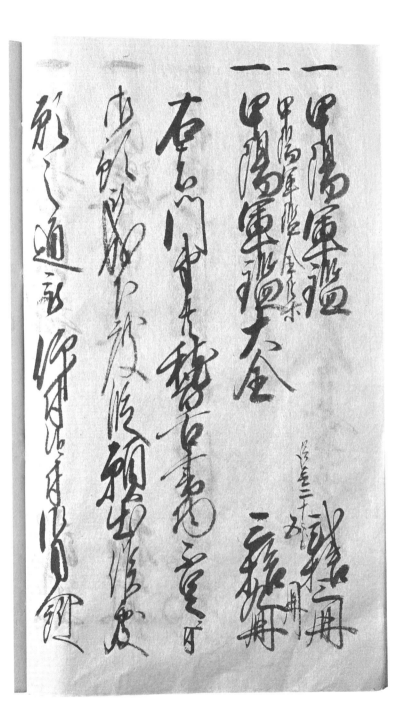

蔵板

一　古今集正義　百冊

内

同前集　弐拾冊

同後集　弐冊

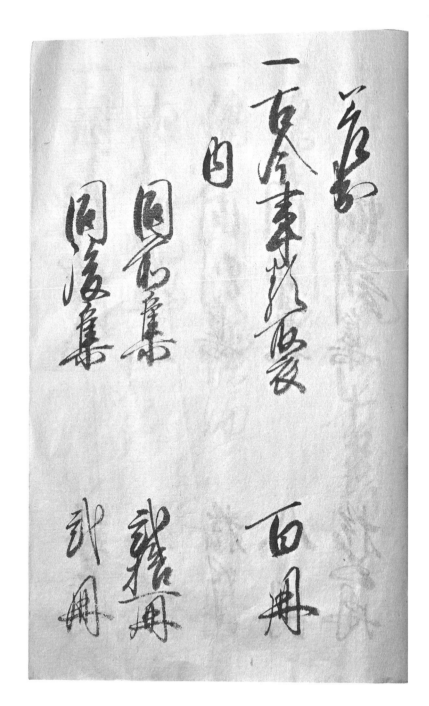

同續集　拾二冊

同遺集　九冊

同別集　拾四冊

同外集　八冊

同新集　拾五冊

西洋流砲術書籍

一 練卒訓語　八冊

一 練卒訓語續編　六冊

一 歩操軌範　合巻 六冊

一 同号令解　四冊

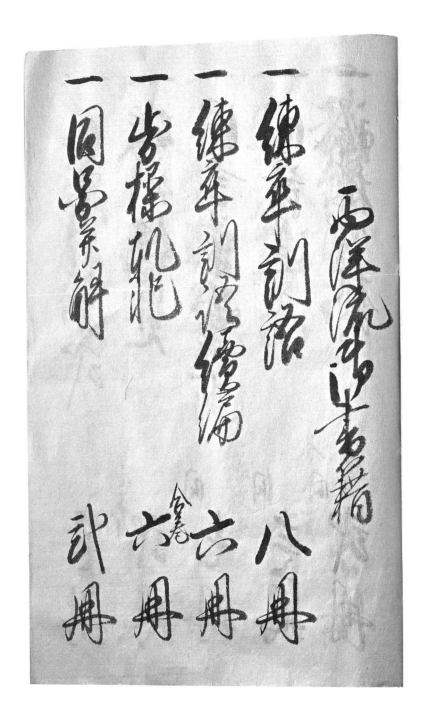

一　白鹿七宝式　壱冊

一　瓊瑯便覧　小本　弐冊

一　同言葉字説　同　壱冊

一　同語選　同　壱冊

一　詩林必携　同　弐冊

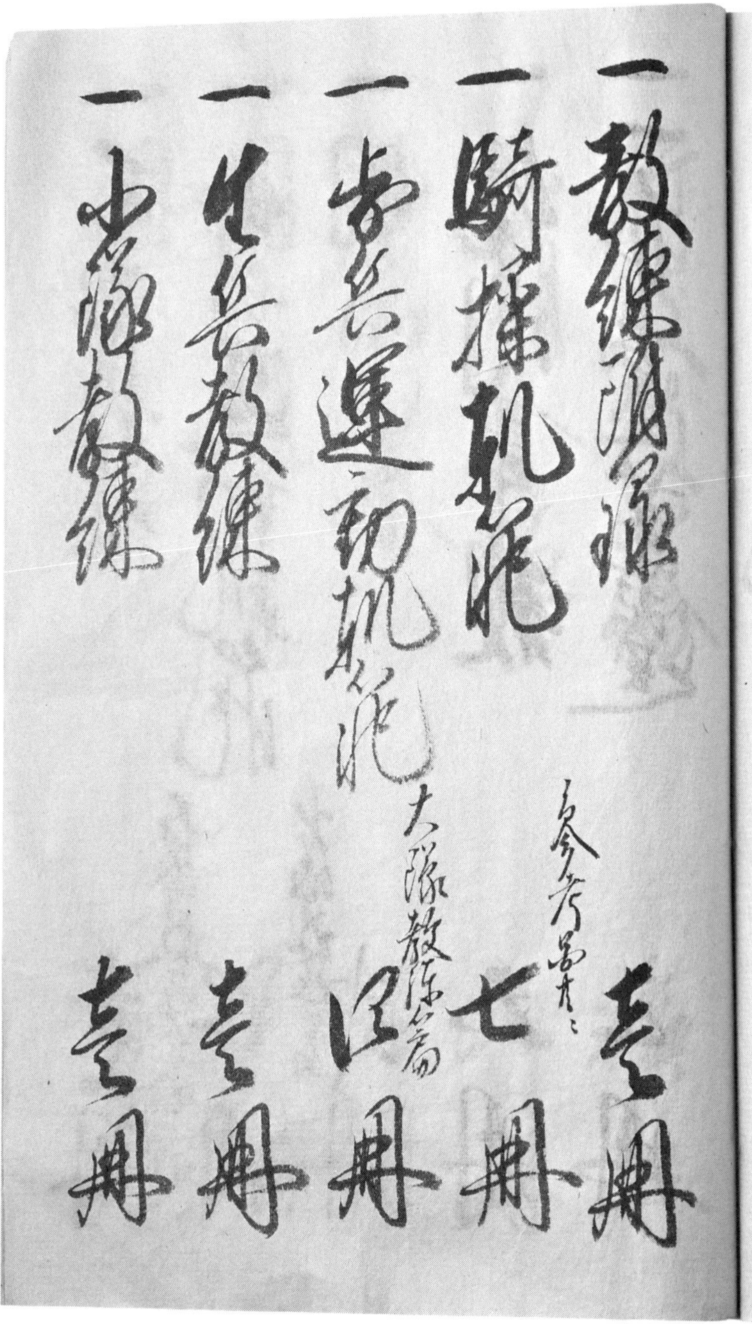
一　教練須擬　但参考書共ニ　壹冊
一　騎操軌範　七冊
一　歩兵運動軌範　大隊教練之篇　四冊
一　生兵教練　壹冊
一　小隊教練　壹冊

一　大蔵教録　壱冊
一　素問運動観東垣花　大蔵教録之内　四冊
一　同　中蔵教録之内　弐冊
一　儒門事親　五冊
一　本草蒙筌　三冊

一　格致餘論　拾弐冊
一　本朝食鑑　九冊
一　萬病回春　同冊
一　同　同冊
一　同　七冊

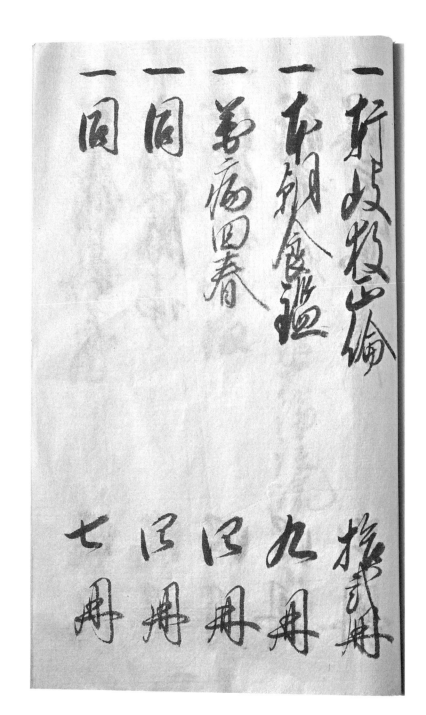

一　幼科良方　四冊
一　格致餘論　四冊
一　内経知要　四冊
一　解體新書　四冊
一　内府要　壱冊

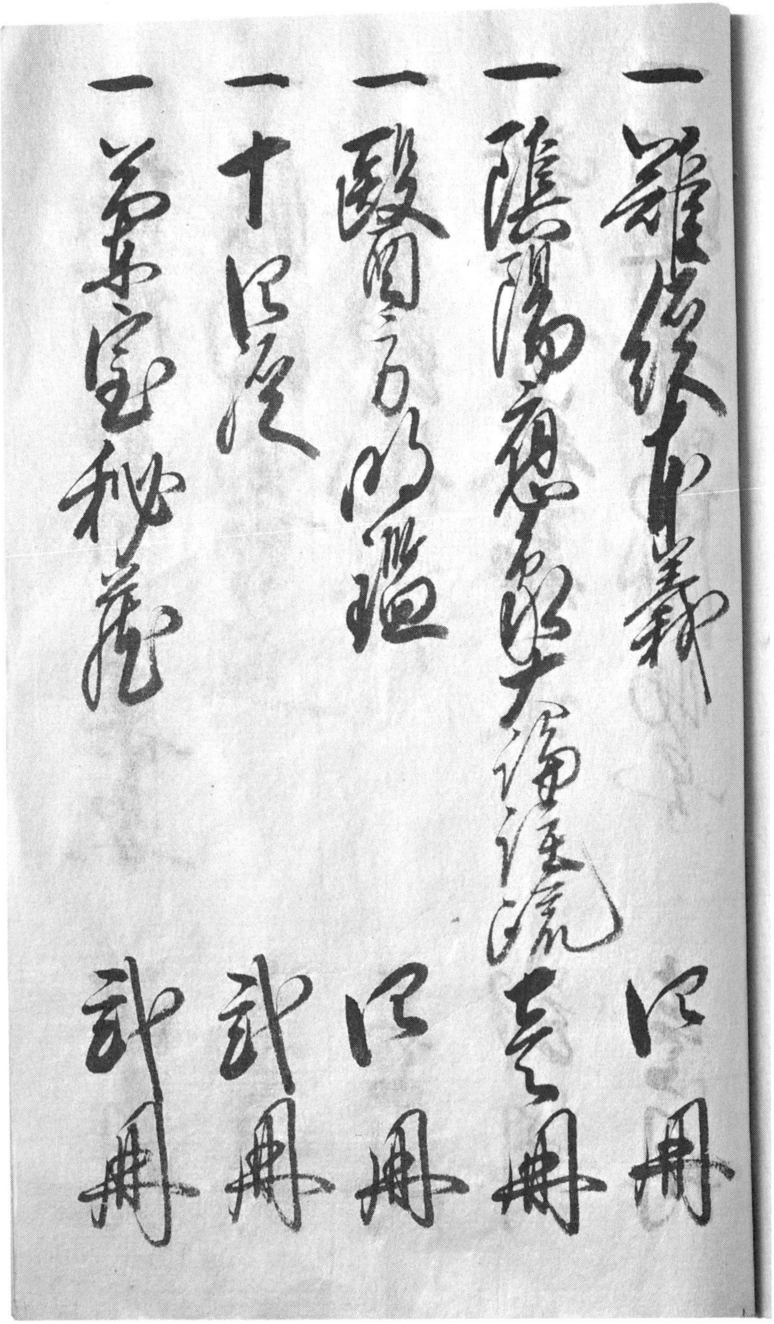

一　難経本義　四冊
一　張隠菴集註黄帝内経霊枢　壱冊
一　醫方明鑑　四冊
一　十四経　弐冊
一　薬室秘蔵　弐冊

一　増補萬寶全書集要　四冊

一　浄泗集　壱冊

一　朱武記　壱冊

一　諸事雑組　弐冊

一　運氣論奥諺解　壱冊

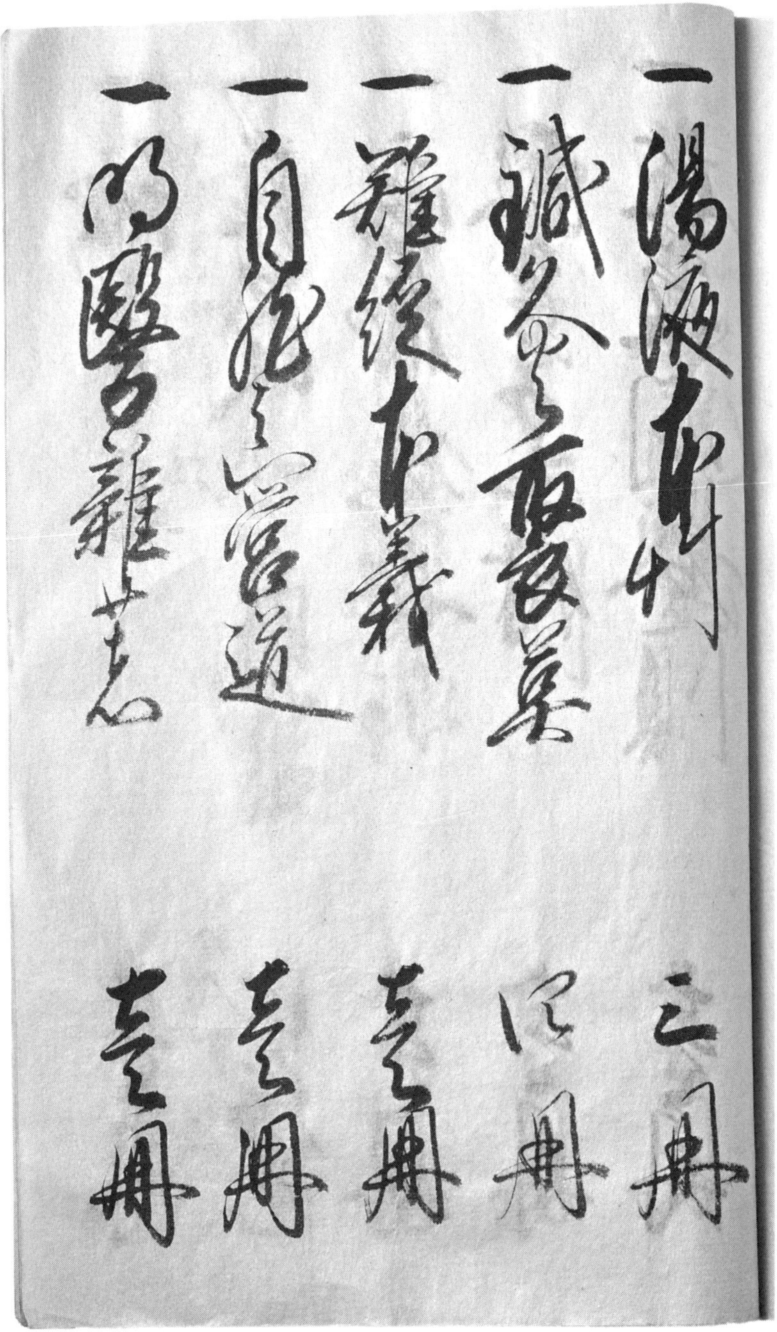

一　湯液本草　三冊
一　職[illegible]之[illegible]要覧　四冊
一　難経本義　壱冊
一　自[illegible]之[illegible]道　壱冊
一　明医雑著　壱冊

一　秘方集　壱冊

一　執從　らね入　四拾巻

一　病機撮要　壱冊

一　醫学正傳　壱冊

一　仁説問答　壱冊

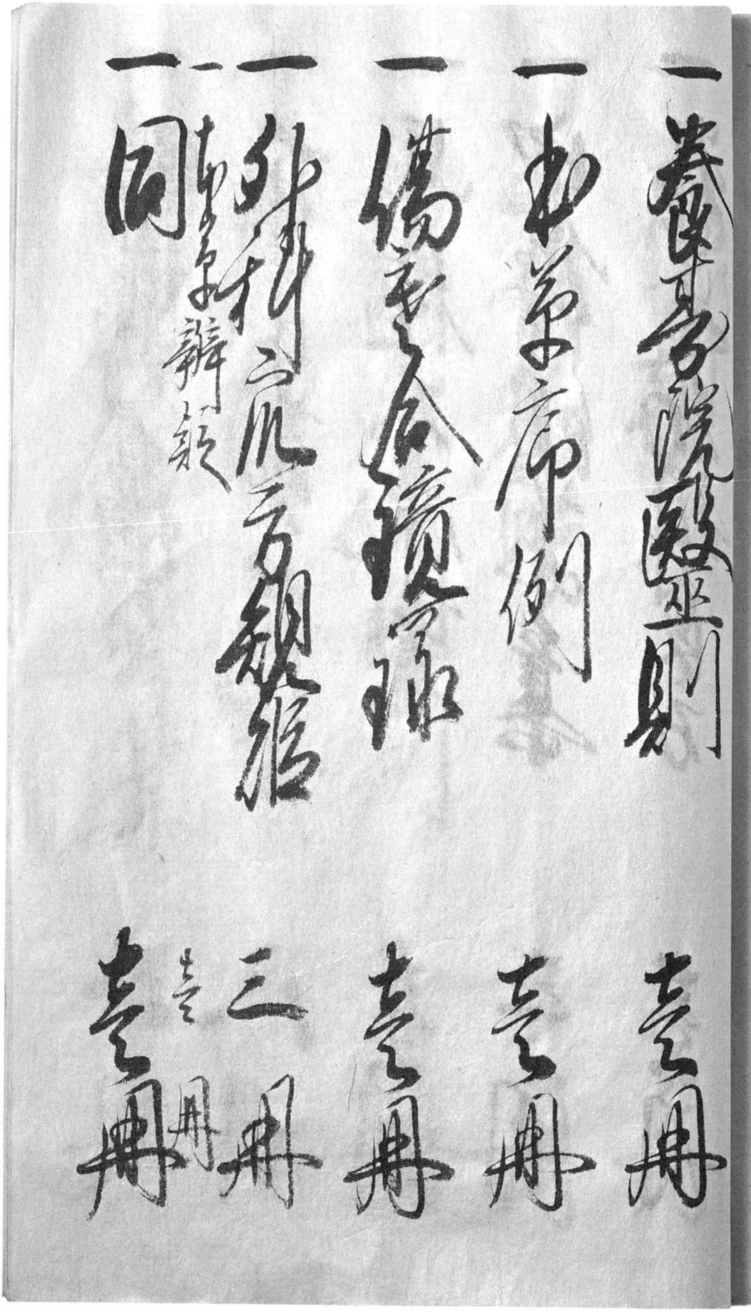
一 養[illegible][illegible]毉則　壹冊
一 和[illegible]序例　壹冊
一 備[illegible]合類[illegible]　壹冊
一 外科[illegible]流方[illegible][illegible]　三冊
東[illegible][illegible]辨疑　壹冊
一 同　壹冊

一 闕以幅 五冊
一 本草[illegible] 八冊
一 醫權大觀書 壹冊
一 家傳明[illegible]集 三冊
一 精選幼科良方 壹冊

一 三元万観絵 壱冊

一 山術寫法 壱冊

一 和漢勇名剣談 壱冊

一 茶花解 壱冊

一 傍訓画室宝鑑 七冊

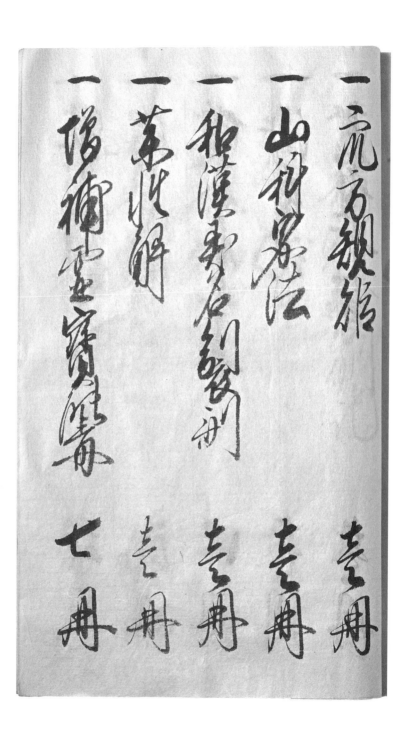

一　業門體要　貳冊

一　指月論　貳冊

一　醫学全九集　四冊

一　済民記　壹冊

一　東垣十書　壹冊

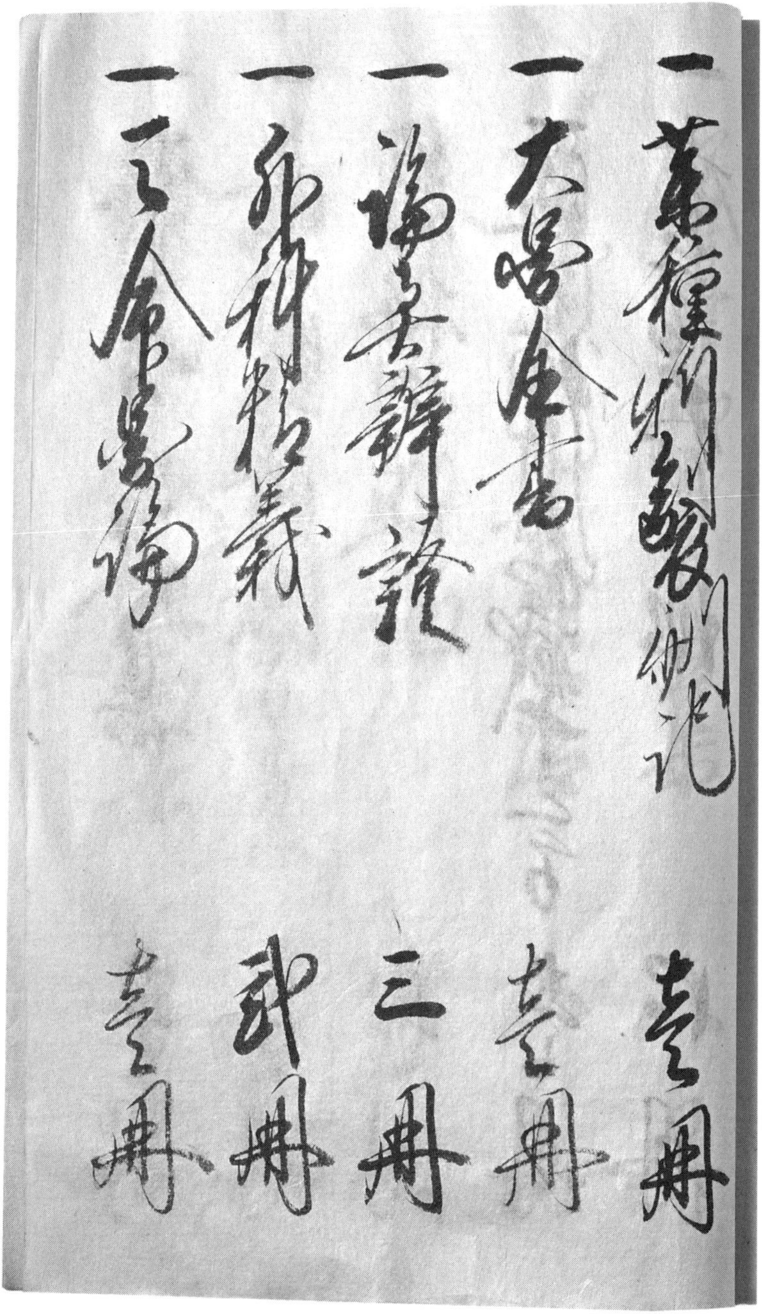

一　醫方口訣集　壹冊

一　怪疴得　壹冊

一　思梅口訣　壹冊

一　頭方備用加減十二方　壹冊

一　書籍大目録　四冊

一 經驗良方集　八冊

一 増補元方類聚　五冊

一 醫法明鑑　四冊

一 濟衆經驗新方彙　壹冊

一 兪穴灸他的法　壹冊

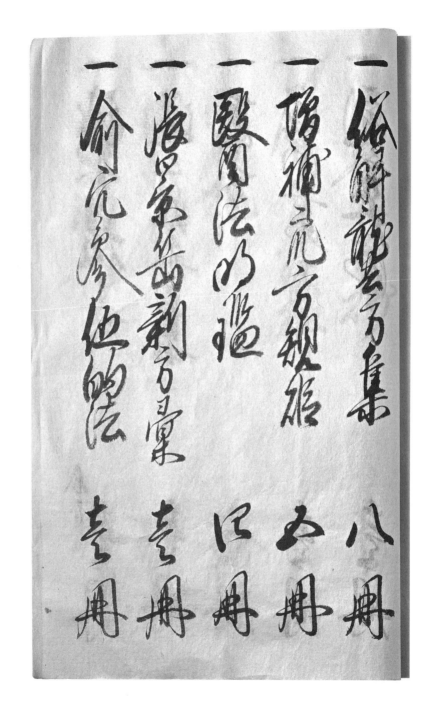

一 職原撮要　合本 壹冊

一 道三延寿集　壹冊

一 薬方　壹冊

一 血道薬方　壹冊

一 医方大成　壹冊

一 儒医一書抄　壱冊

一 局方発揮　壱冊

一 霊枢　拾弐冊

一 同　四冊

一 素問　八冊

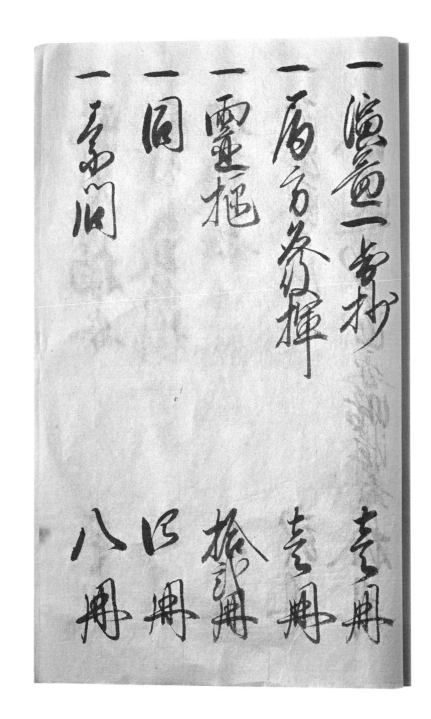

一 醫方摘要 壹冊

一 醫書大判 三ツ

一 功方集 壹冊

一 啓迪醫便 貳冊

一 金匱玉函要略輯義 拾冊

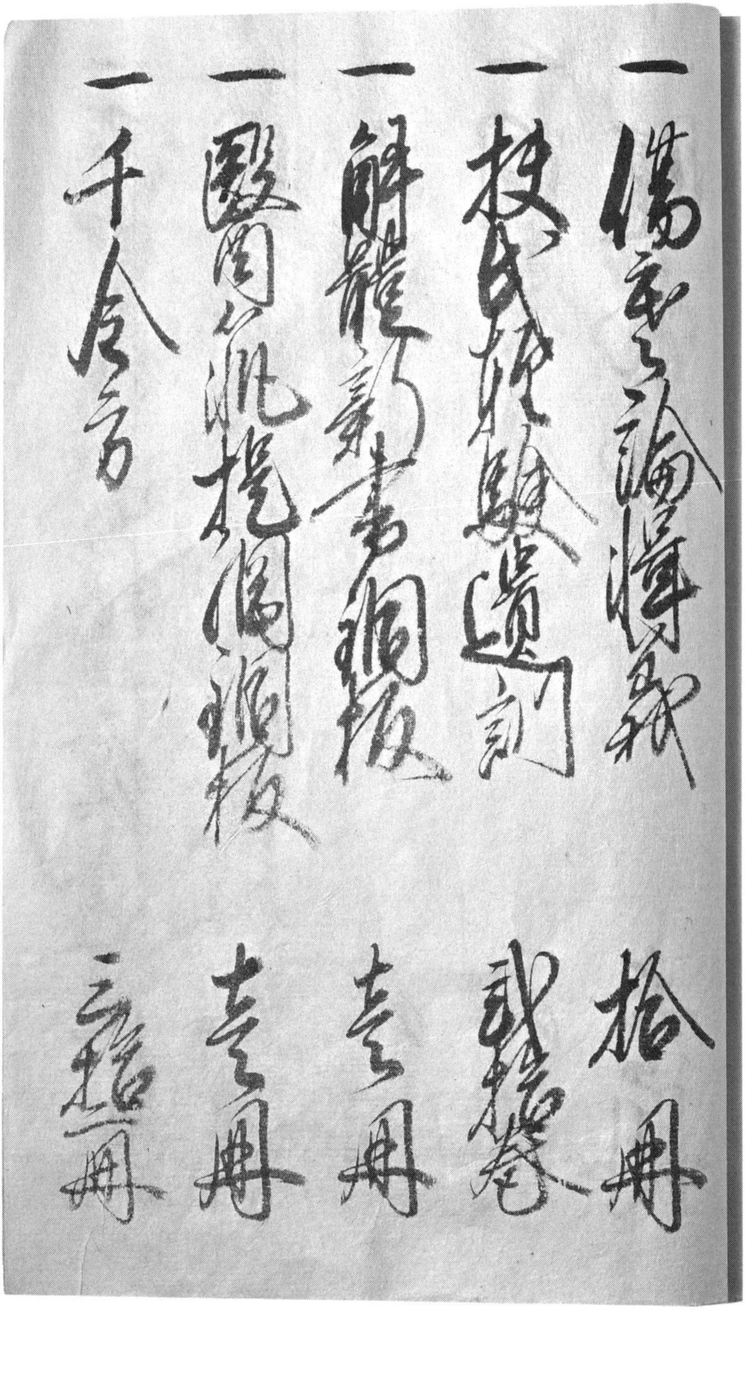

一 傷寒論輯義　拾冊
一 扶氏経験遺訓　弐拾巻
一 解體新書銅板　壱冊
一 醫範提綱銅板　壱冊
一 千金方　三拾冊

一 黄帝内経霊枢注証発微 九冊
一 同素問霊枢注証発微 九冊
一 素問 九冊
一 同 九冊
一 運気論 壱冊

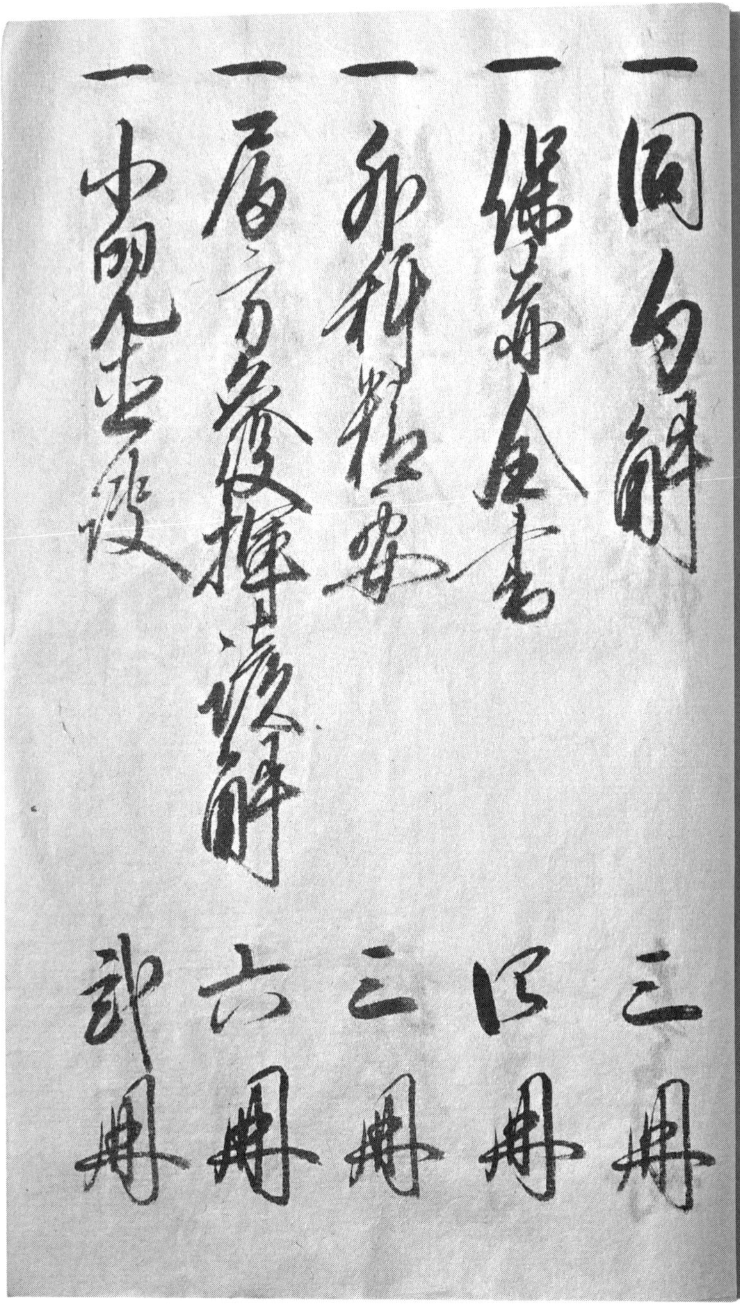

一　同句解　三冊

一　保命全書　四冊

一　新刊類要　三冊

一　医方発揮諺解　六冊

一　小児[illegible]　部冊

一　正體類要　弐冊

一　原機啓微　三冊

一　保嬰撮要　弐冊

一　同粹要　壱冊

一　同金鏡録　壱冊

一 癘瘍機要　三冊
一 口齒類要　壱冊
一 女科撮要　弐冊
一 小児痘疹方　壱冊
一 内科摘要　弐冊

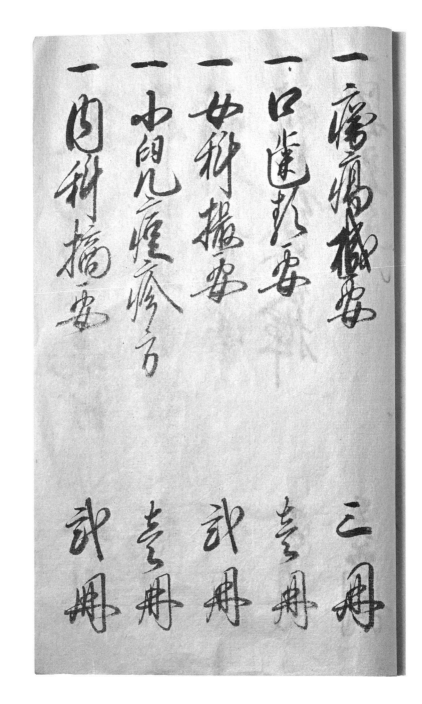

一　運気論奥疏鈔　五冊
一　醫方集解　六冊
一　鍼灸聚英　弐冊
一　十四経発揮　壱冊
一　雑記　壱冊

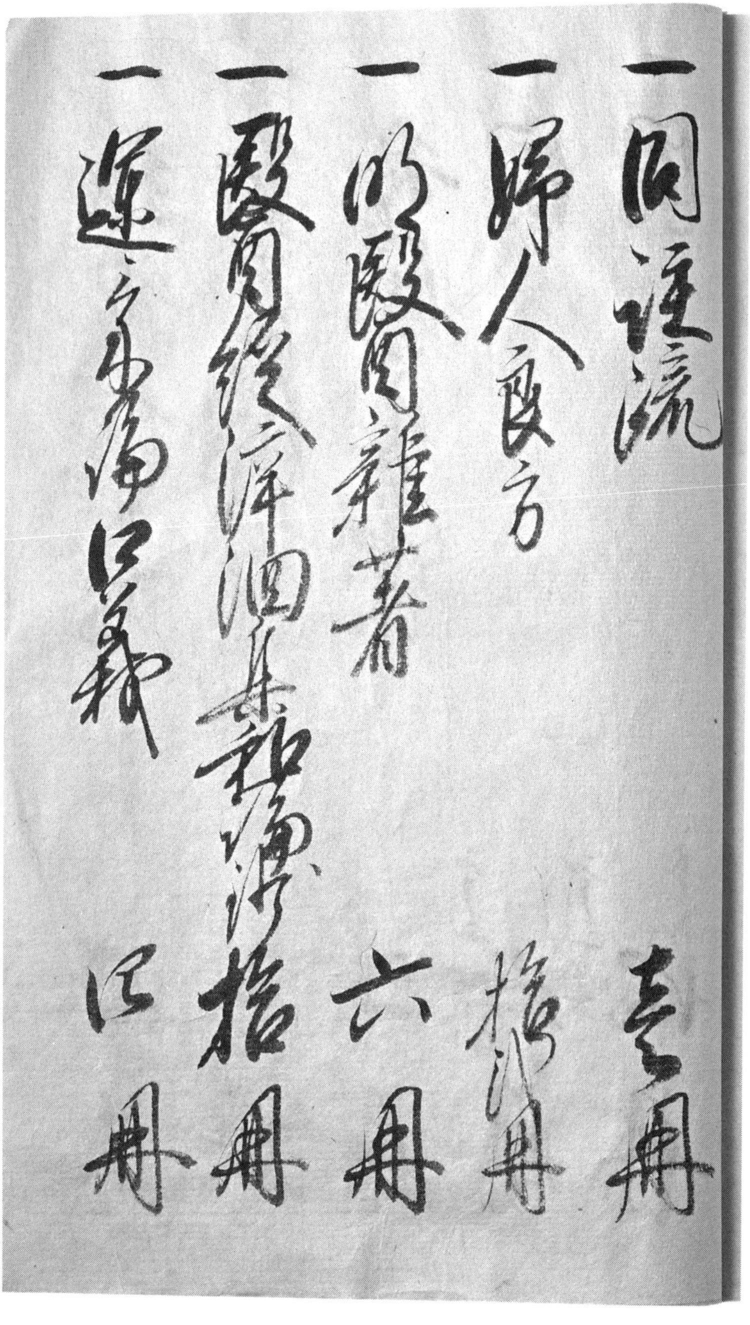

一 同証流　壱冊

一 婦人良方　拾冊

一 明醫雜著　六冊

一 醫經溯洄集和語鈔　拾冊

一 運気論口義　五冊

一　外科樞要　四冊

一　本草綱目　三十八冊

一　和蘭字彙　中一帙　三冊

一　同　中二帙　五冊

一　同　中三帙　四冊

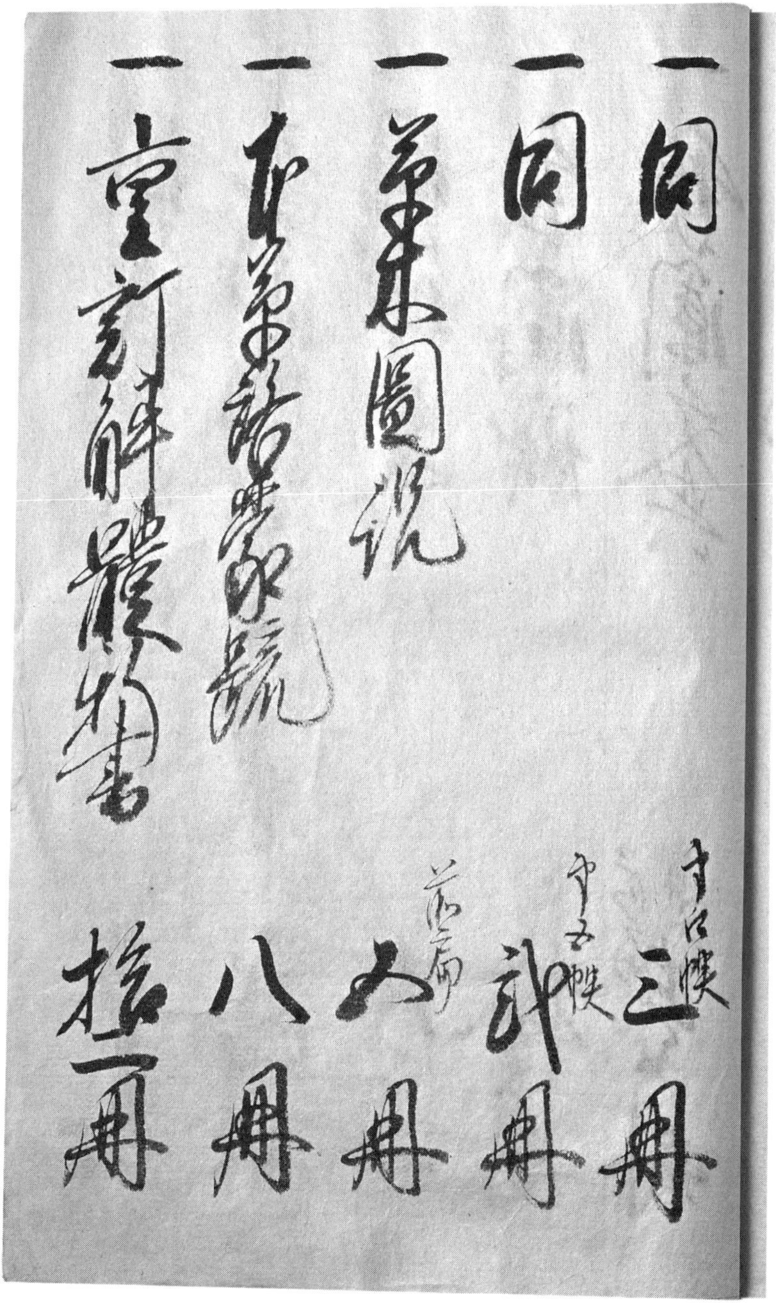
一　同　三冊
一　同　弐冊
一　草木図説　七冊
一　本草綱目啓蒙　八冊
一　重訂解体新書　拾冊

一　同題言凡例　壱冊

一　遠西医方名物考　三拾六冊

一　同補遺　九冊

一　東門随識　拾冊

一　和蘭文典　前編　壱冊

一 同　後篇　壱冊

一 同續篇　初ノ篇　壱冊

一 同　二ノ篇　壱冊

一 気海観瀾広義　初ノ篇より五篇迄　拾冊

一 和蘭文典字類　前篇小本　壱冊

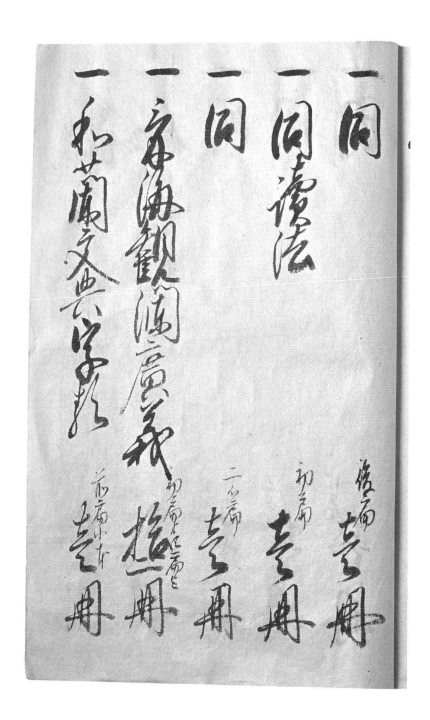

一　蘭学独案内　小本　壹冊

一　合衆国閣雁宗　初編　壹冊

一　同　二編　壹冊

一　同　三編　壹冊

一　同　四編　壹冊

一 同　五之巻 壱冊

一 同　六之巻 壱冊

一 同　七之巻 壱冊

一 羅経疏説　弐冊

一 人子須窮理書　三冊

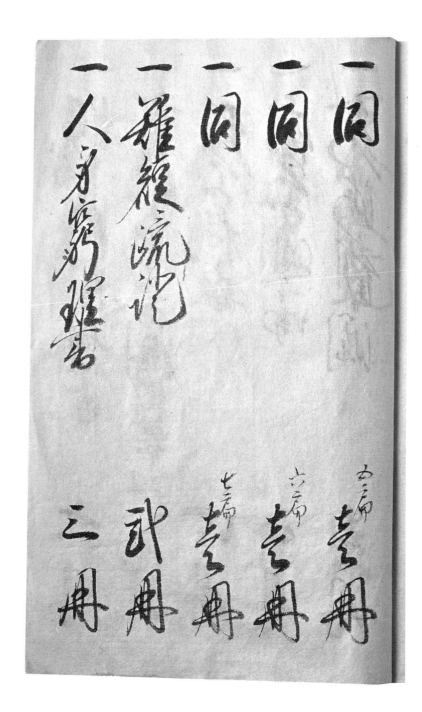

一 増補重訂内科撰要 六冊

一 重訂解体新書銅版諸説之揃冊

一 理学提要 初編 四冊

一 病学通論 同 二冊

一 気海観瀾 壹冊

一 古今醫統　拾冊

一 萬年圖説　拾冊

文久三亥二[illegible]月[illegible][illegible]

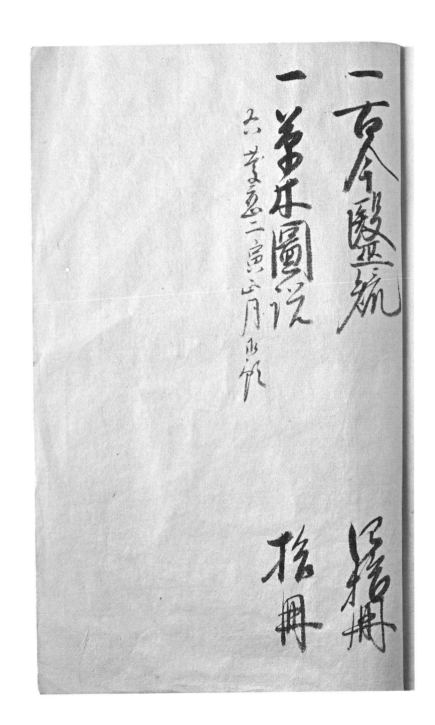

⑩ 瓦屋根御井楼 御日記入ノ御場所 御本類御目録

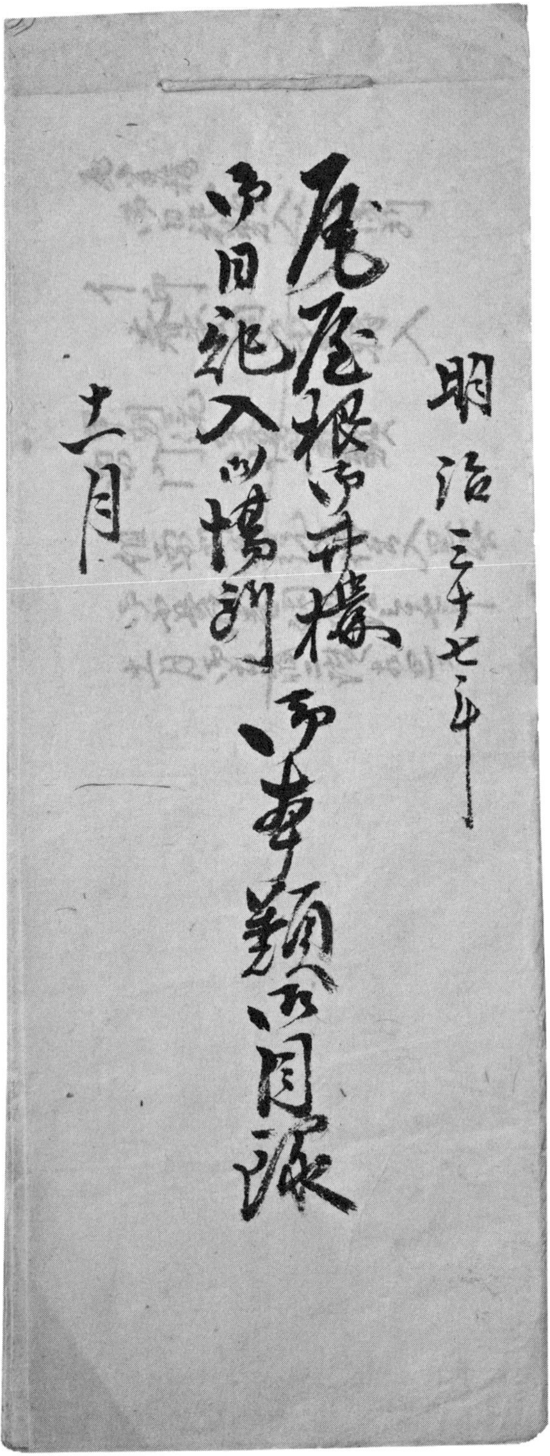
明治三十七年
尾尾根御手操御本類御目録
御用池入御場所
十一月

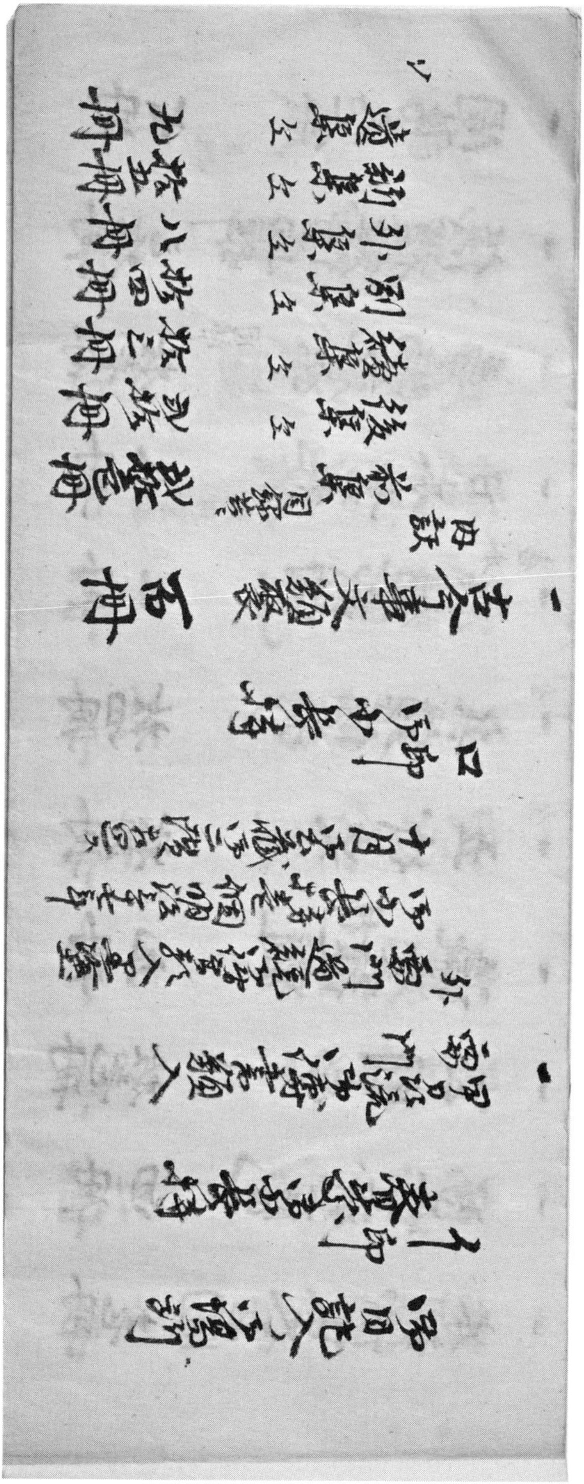

御目記入ハ左ノ場所

イ印 春水先生長持

一 御日記流御傳書類入 霊門

外 霊門遺稿御書類入 箪笥 御小長持壱個 明治三十七年十月御蔵御二階ニ入

口印 御小長持

一 古今事文類聚 百冊

内訳

前集 同録共 弐拾壱冊

後集 仝 弐拾冊

續集 仝 拾三冊

別集 仝 拾四冊

外集 仝 八冊

新集 仝 拾五冊

遺集 仝 九冊

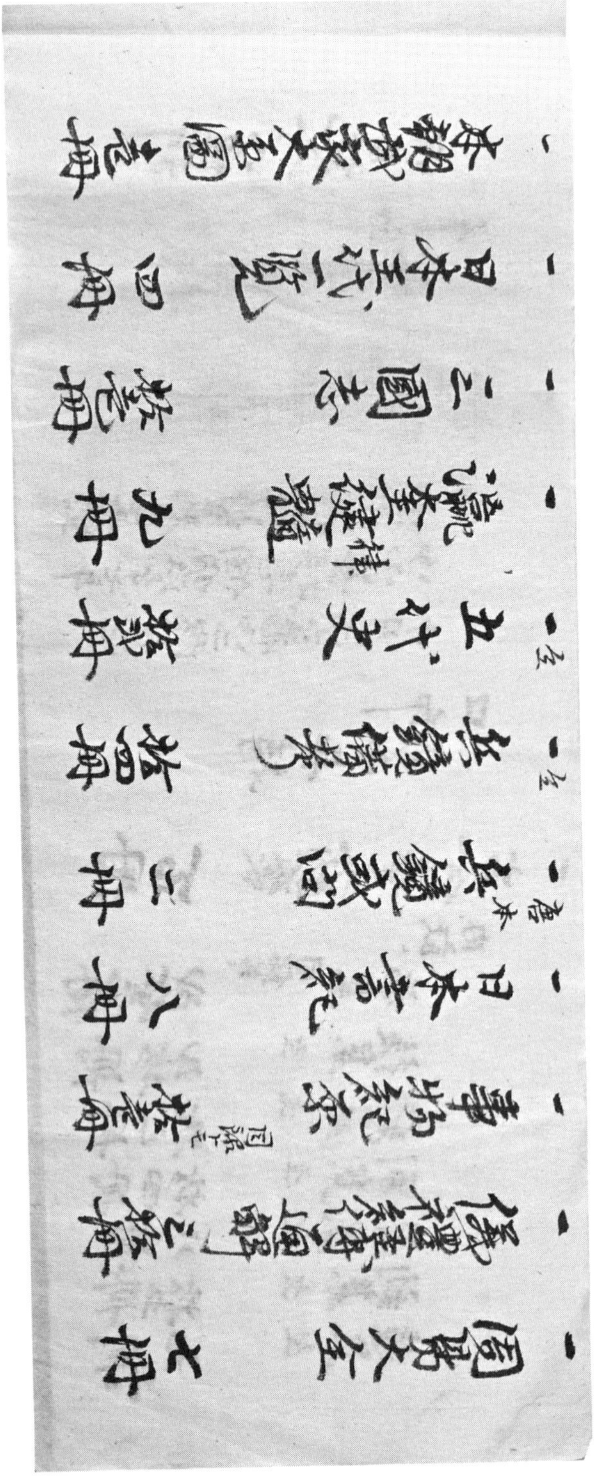

一 周易大全 七冊
一 儀禮經傳通解 二拾冊
一 事物紀原 同派トモ 拾壱冊
一 日本書紀 八冊
一 唐本 兵鏡或問 二冊
一 仝 兵鏡備考 拾四冊
一 仝 五代史 拾弐冊
一 瀛奎律髓 九冊
一 三國志 拾壱冊
一 日本王代一覧 四冊
一 本朝武家大系圖 壱冊

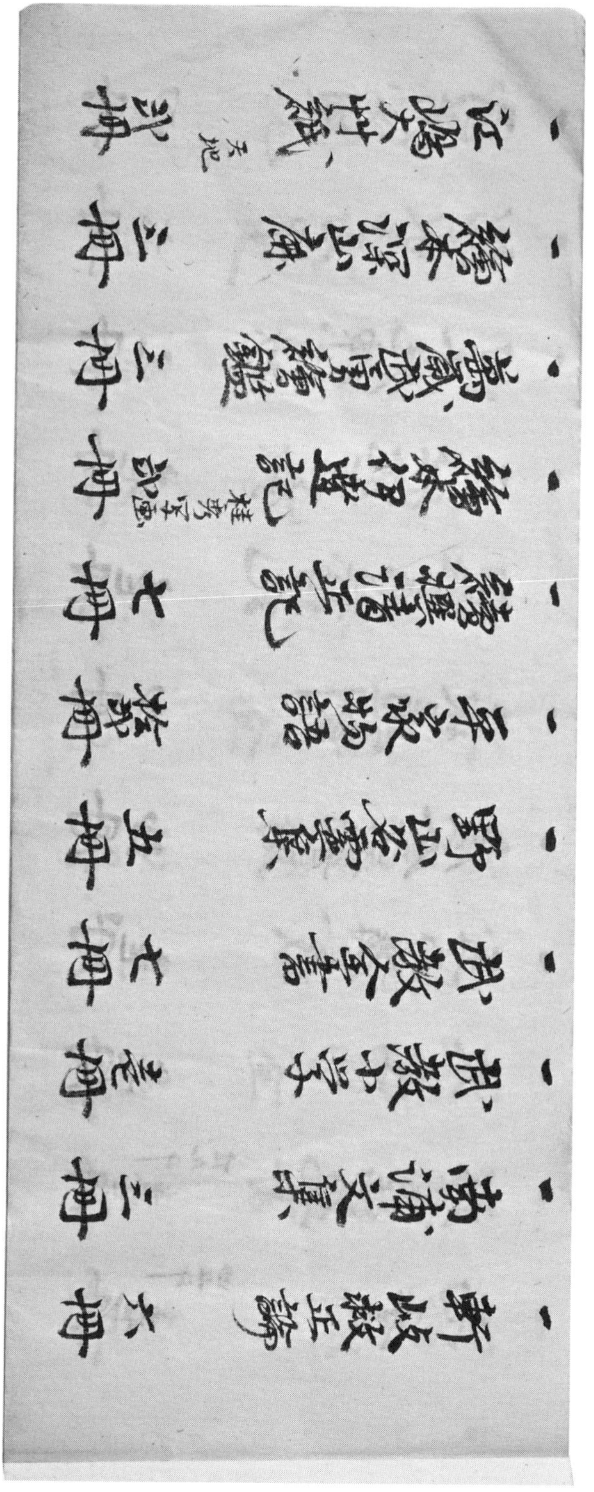

一 新岐救正論 六冊
一 南浦文集 三冊
一 武教小学 壱冊
一 武教全書 七冊
一 野山名霊集 五冊
一 平家物語 拾弐冊
一 續撰清正記 七冊
一 續本伊達記 桂歩写画 弐冊
一 萬歳武勇續鑑 三冊
一 續本深山廓 三冊
一 江嶋大竹紙 天地 弐冊

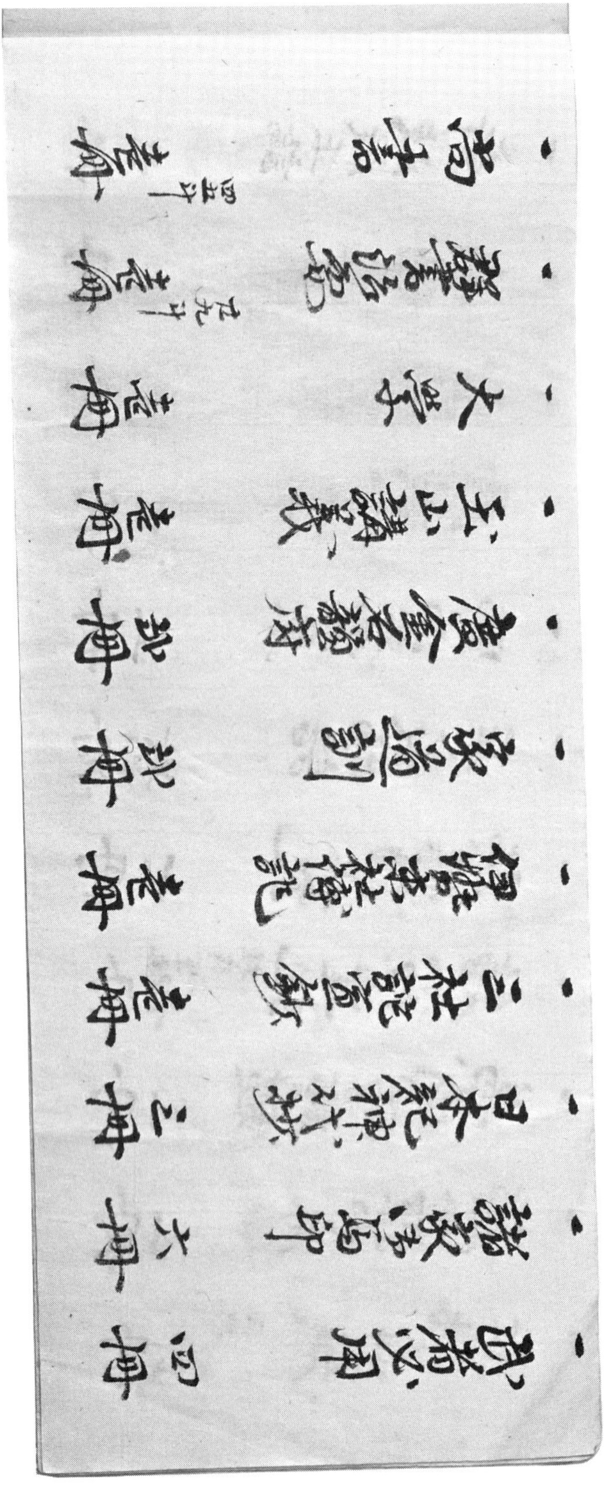

一 [illegible]之庫　四冊

一 諸家名臣印　六冊

一 日本紀神代抄　二冊

一 三社託宣鈔　壱冊

一 伊勢太神宮記　壱冊

一 家道訓　弐冊

一 職原[illegible]抄　弐冊

一 五山講義　壱冊

一 大学　壱冊

一 錦繍段鈔　五九十　壱冊

一 同書　四五十　壱冊

一 四部録　壱冊

一 黄石公素書　壱冊

一 四書詳解大全　壱冊

一 仁説問答　壱冊

一 論奧辨證　弐冊

一 改蒙記綱目大全　壱冊

一 和漢朗詠集　弐冊

一 八雲一言記　弐冊

一 秘農暦　壱冊

一 熊澤先生大和文　壱冊

一 諸家知譜拙記　三斗　壱冊

一 雛歌紅葉の山 弐冊
一 楊弓射法次己鈔 壱冊
一 和漢年代記 九 壱冊
一 薬性解 壱冊
一 格致餘論 壱冊
一 導引體要 壱冊
一 蒿問氣歴論 十六 壱冊
一 霊樞 弐冊
一 内経知要 壱冊
一 怪痾一得 壱冊
一 醫学愚得 壱冊

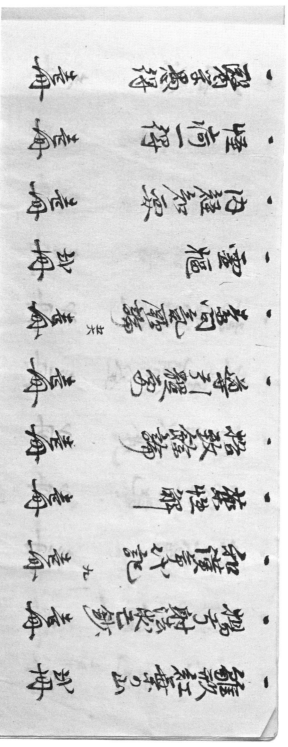

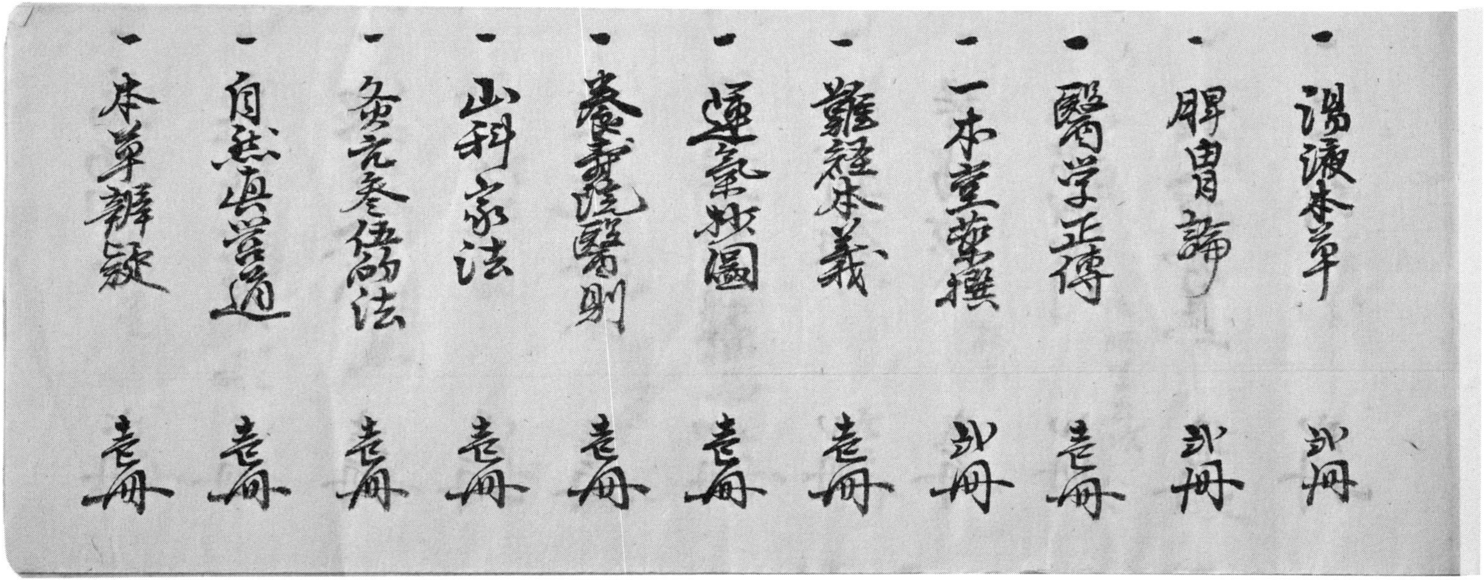
一 湯液本草　弐冊
一 脾胃論　弐冊
一 醫学正傳　壱冊
一 一本堂藥選　弐冊
一 難経本義　壱冊
一 運氣抄圖　壱冊
一 養壽院醫則　壱冊
一 山科家法　壱冊
一 灸光参傳兩法　壱冊
一 自然真営道　壱冊
一 本草辨疑　壱冊

一 萬病回春 六冊
一 家伝節要集 上 壱冊
一 衆方大成 壱冊
一 功方集 壱冊
一 道三能毒集 壱冊
一 廣益書籍目録 四冊
一 卦傳鈔 弐冊
一 琴曲抄 壱冊
一 誹諧武玉川 弐冊
一 詩文押韻集 壱冊
一 字引 弐冊

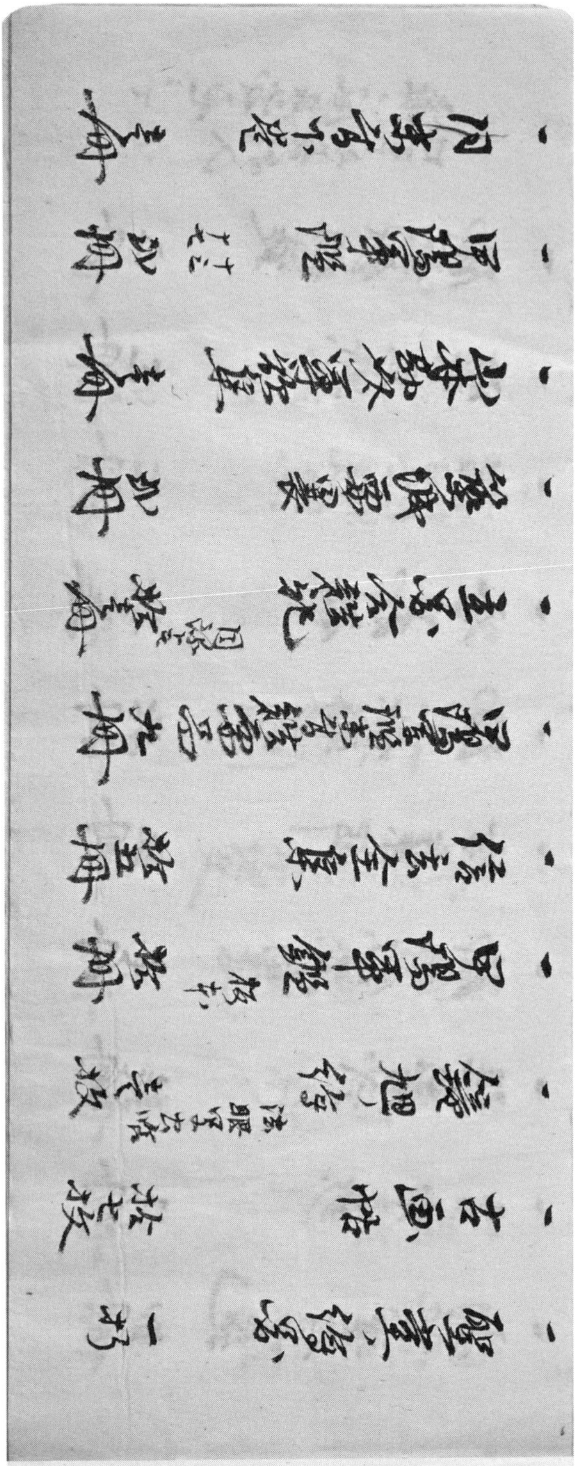

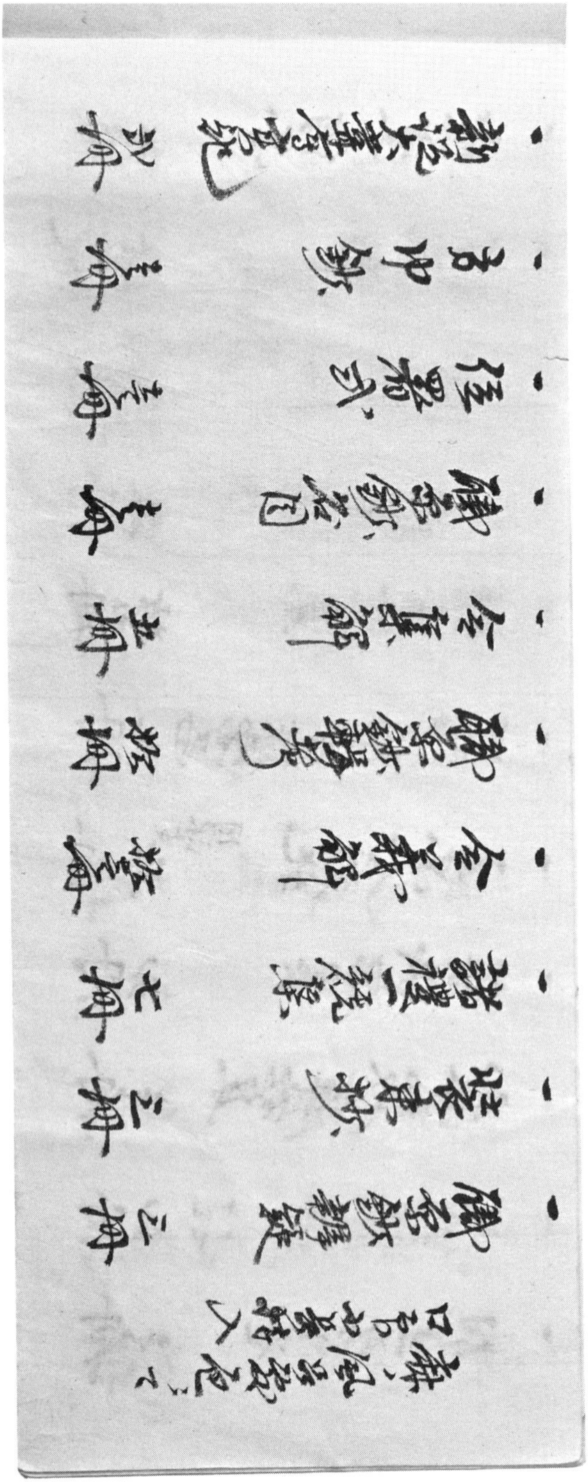
麻ノ風呂敷包ニて
口[illegible]小長持入
一 [illegible]鈔[illegible] 三冊
一 装束抄 三冊
一 諸禮一統集 七冊
一 令義解 拾冊
一 [illegible]鈔[illegible] 拾冊
一 令集解 五冊
一 [illegible]鈔名目 壱冊
一 位署式 壱冊
一 方巾鈔 壱冊
一 新選大嘗会記 弐冊

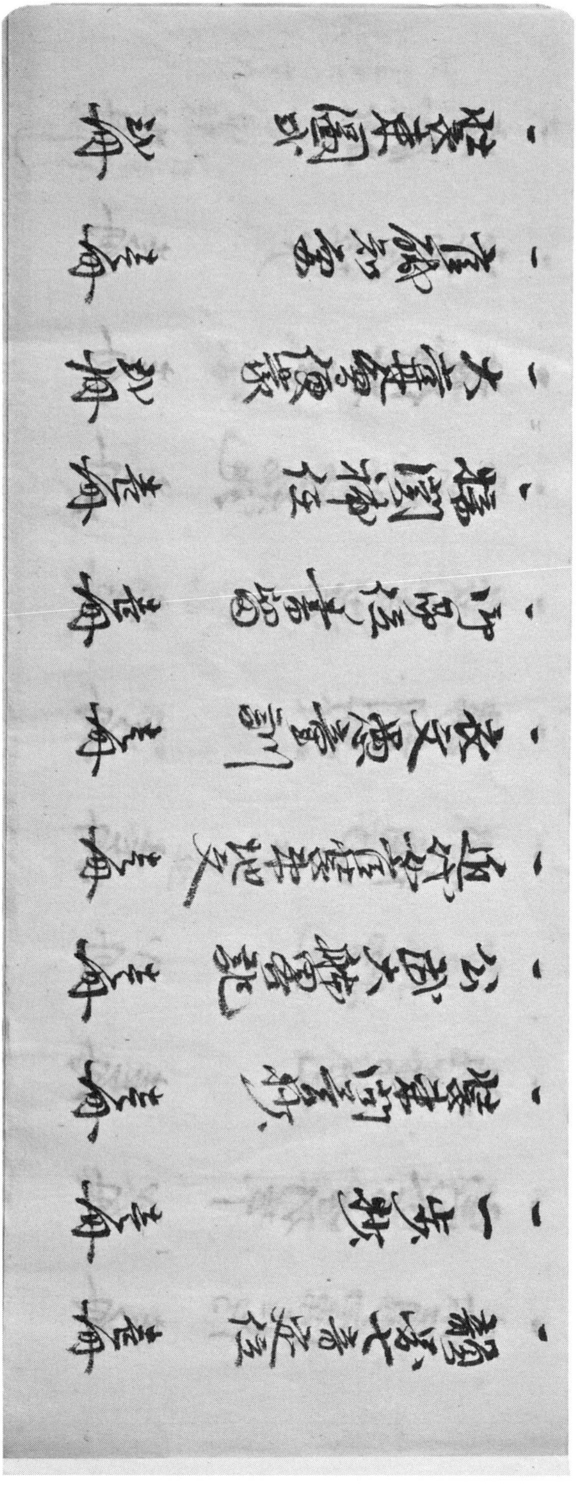
一 韻鏡七音定位 壱冊
一 一歩抄 壱冊
一 装束[illegible]抄 壱冊
一 公武大体略記 壱冊
一 近代公家装束地文 壱冊
一 衣文愚蒙訓 壱冊
一 即位[illegible]書留 壱冊
一 摂関補任 壱冊
一 大嘗会便蒙 弐冊
一 [illegible]知要 壱冊
一 装束図式 弐冊

一　有職抄　弐冊

一　御節會次第　壱冊

一　菅傳拾集　壱冊

一　御即位見安私記　壱冊

一　名字考　壱冊

一　諱訓抄　壱冊

一　鄙鶴口答　壱冊

一　御昇壇記　弐冊

一　執筆中巻　壱冊

一　宝永年中行事　弐冊

一　泰璽向源臣隣　壱冊

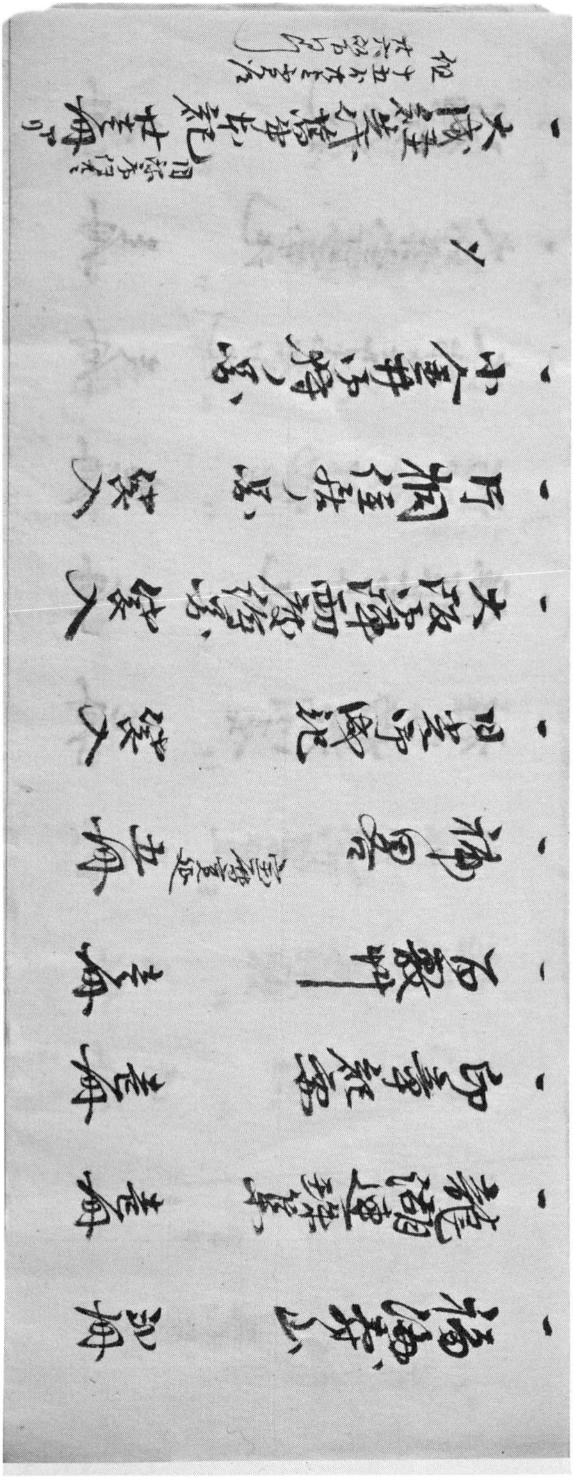
一 福海寿山 弐冊
一 龍湖連珠集 壱冊
一 印章紀家 壱冊
一 百穀丱 壱冊
一 神異 宝暦寛延 五冊
一 日光山御記 袋入
一 大阪淨西殿御写 袋入
一 片桐侍従ノ写 袋入
一 小金井御狩ノ写
一 〆
一 大成経先代旧事本紀 目録本付之 廿壱冊アリ
但 十五冊ハ木上本 廿六冊ハ写本

一　御鎮座傳記　壹冊

一　大神宮宝基本記　壹冊

一　大神宮御鎮座本紀　壹冊

一　阿波羅波命記　壹冊

一　倭姫命世記　壹冊

一　神宮秘傳問答　壹冊

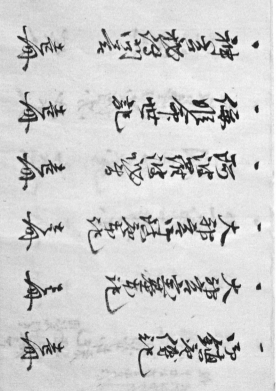

○　書名右肩にある「壱ノ引出入」は朱筆。以下「五ノ引出入」まで同様。

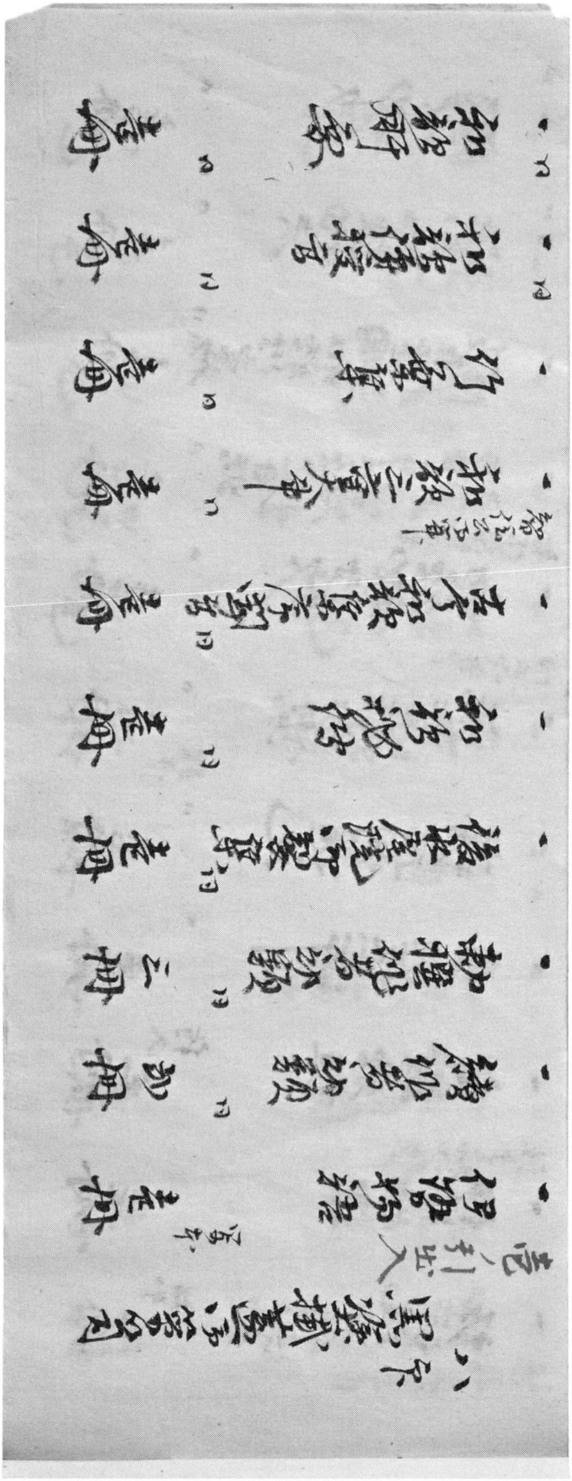

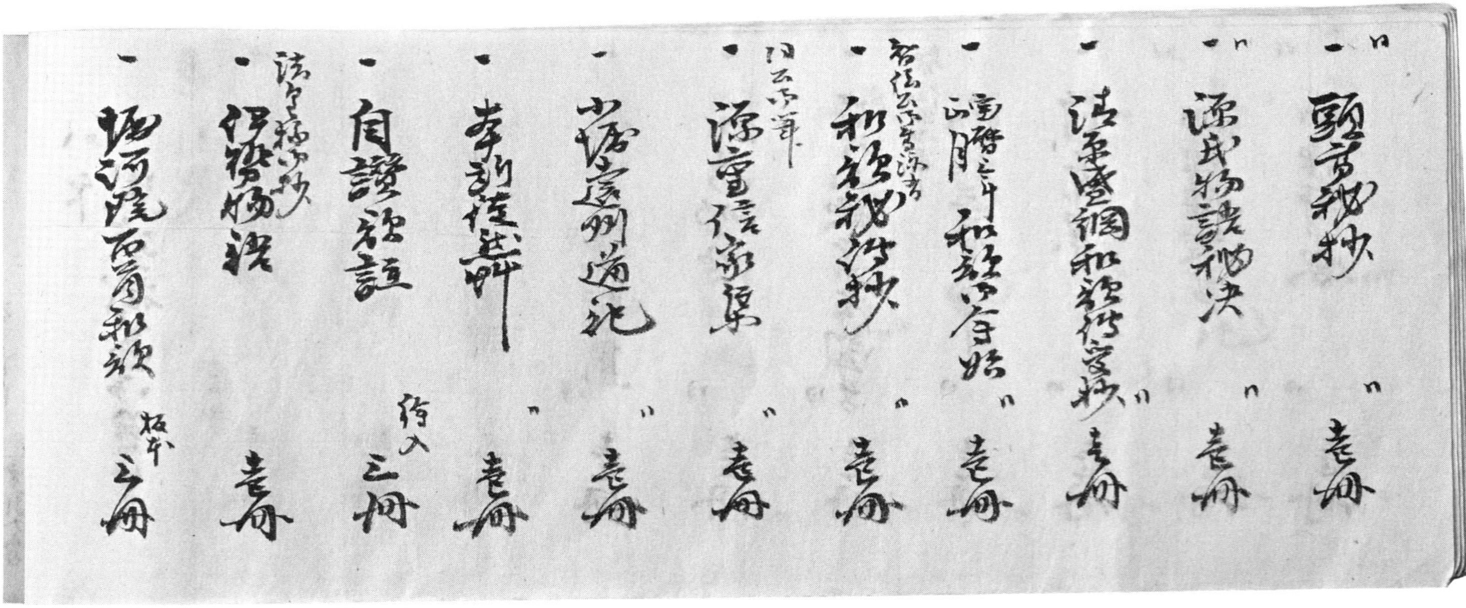
〃 一 顕昭秘抄 〃 壱冊
〃 一 源氏物語秘決 〃 壱冊
一 [illegible]和歌[illegible]抄 〃 壱冊
一 和歌[illegible] 〃 壱冊
一 和歌秘[illegible]抄 〃 壱冊
一 源[illegible]家集 〃 壱冊
一 小堀遠州道記 〃 壱冊
一 [illegible] 〃 壱冊
一 自讃歌註 三冊
一 伊勢物語 壱冊
一 堀河院百首和歌[illegible] 板本 三冊

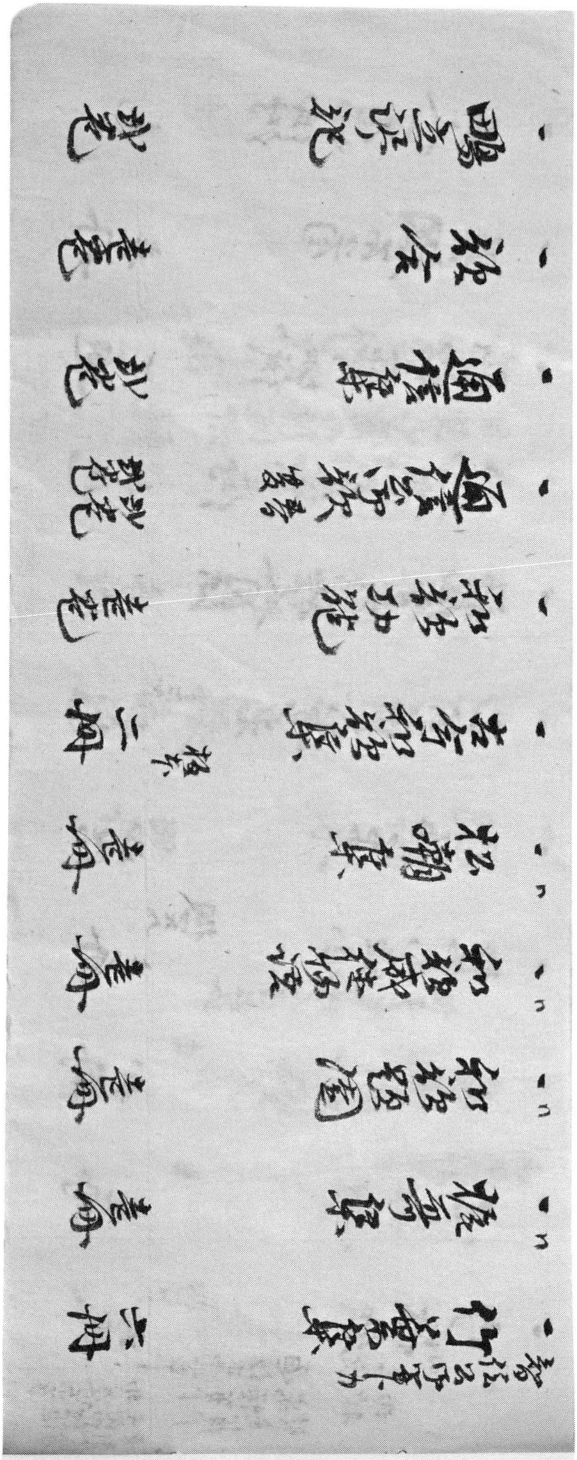

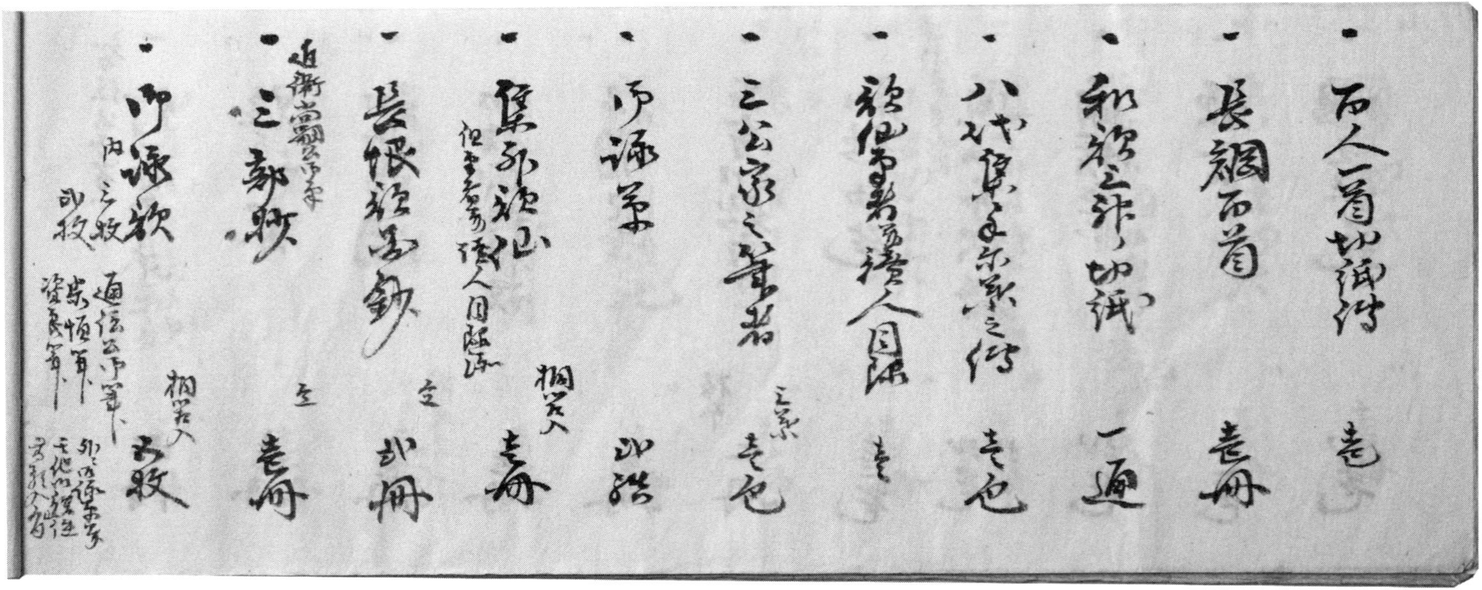
一　百人一首切紙伝　壱
一　長綱百首　壱冊
一　和歌之部ノ切紙　一通
一　八代集序聞書之伝　壱包
一　[illegible]人目録　壱
一　三公家之聞書　三条　壱包
一　御詠草　四帖
一　集外歌仙　但[illegible]伝人目録添　相伝人　壱冊
一　長恨歌[illegible]鈔　全　弐冊
一　三部抄　近衛尚嗣公御筆　全　壱冊
一　御詠歌　内三枚　弐枚　相伝人　五枚
通茂公御筆
忠恒筆
資良筆
[illegible]

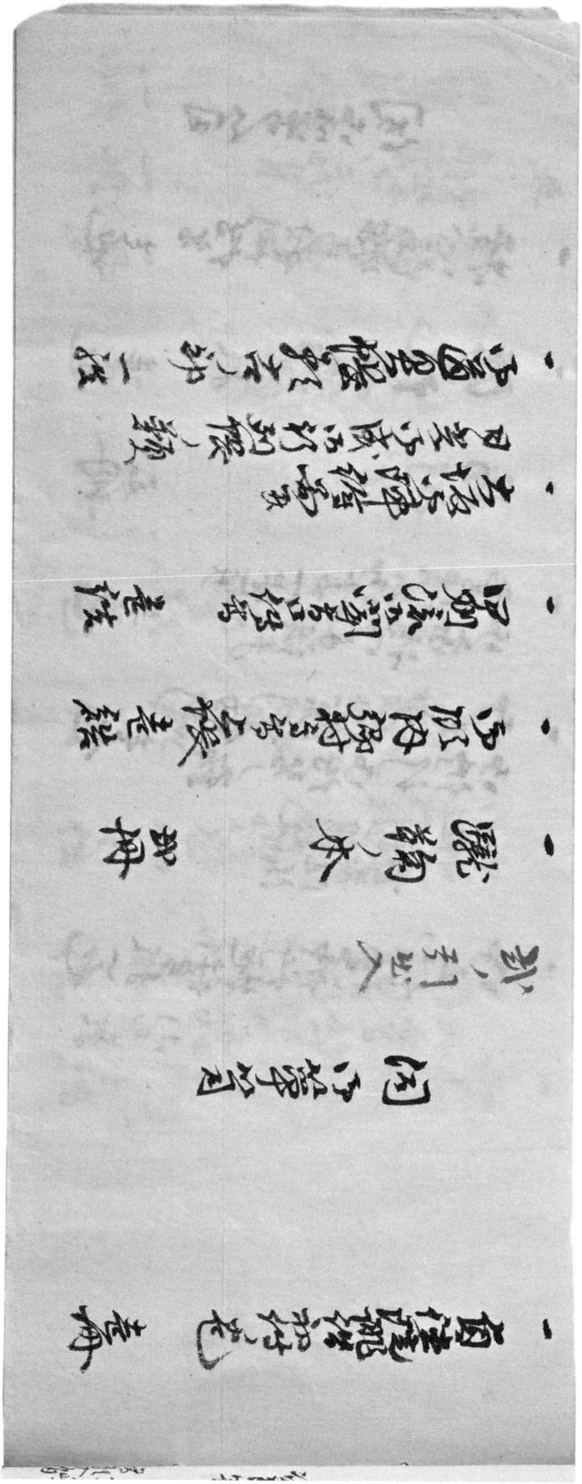

○三三二頁一部を拡大。

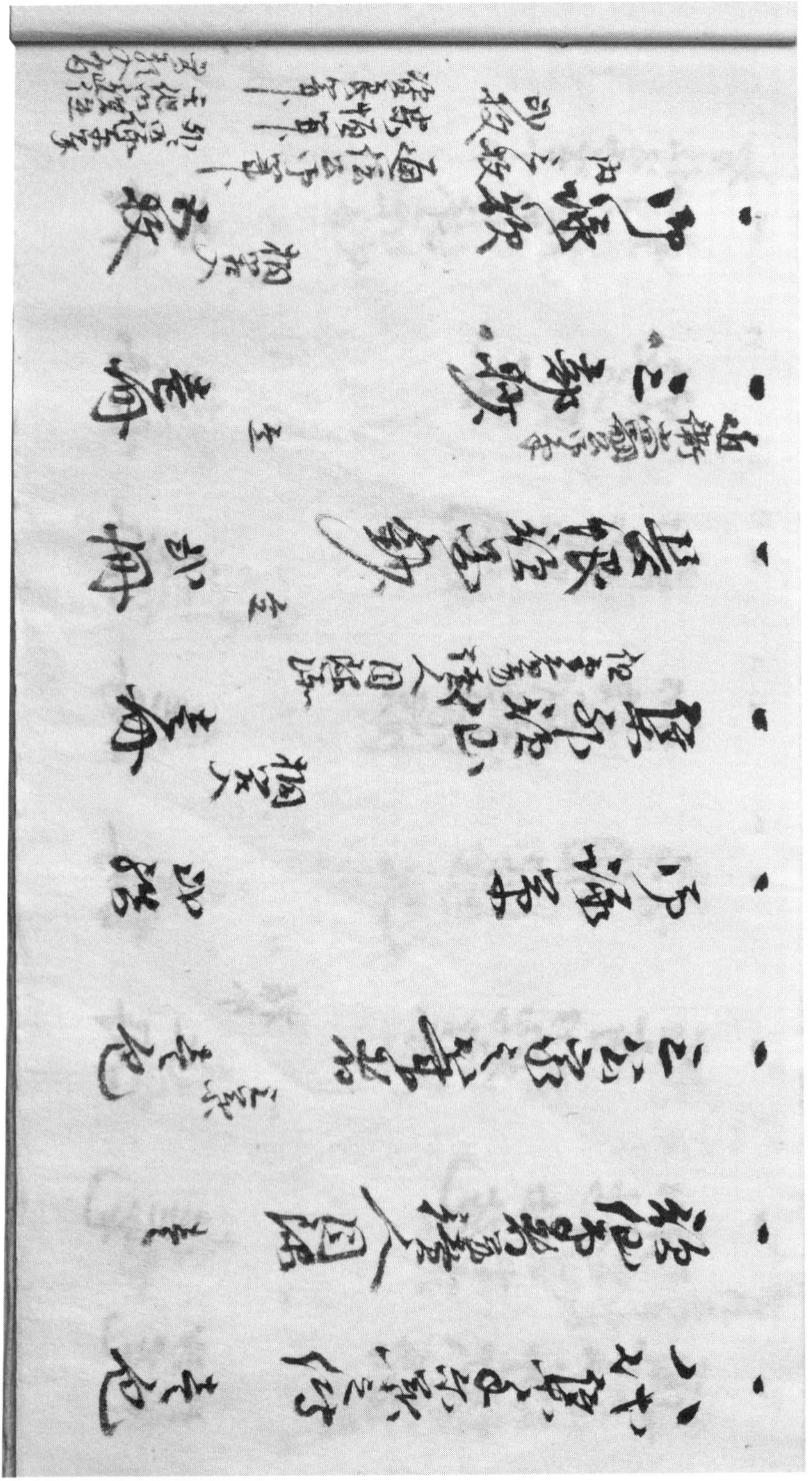

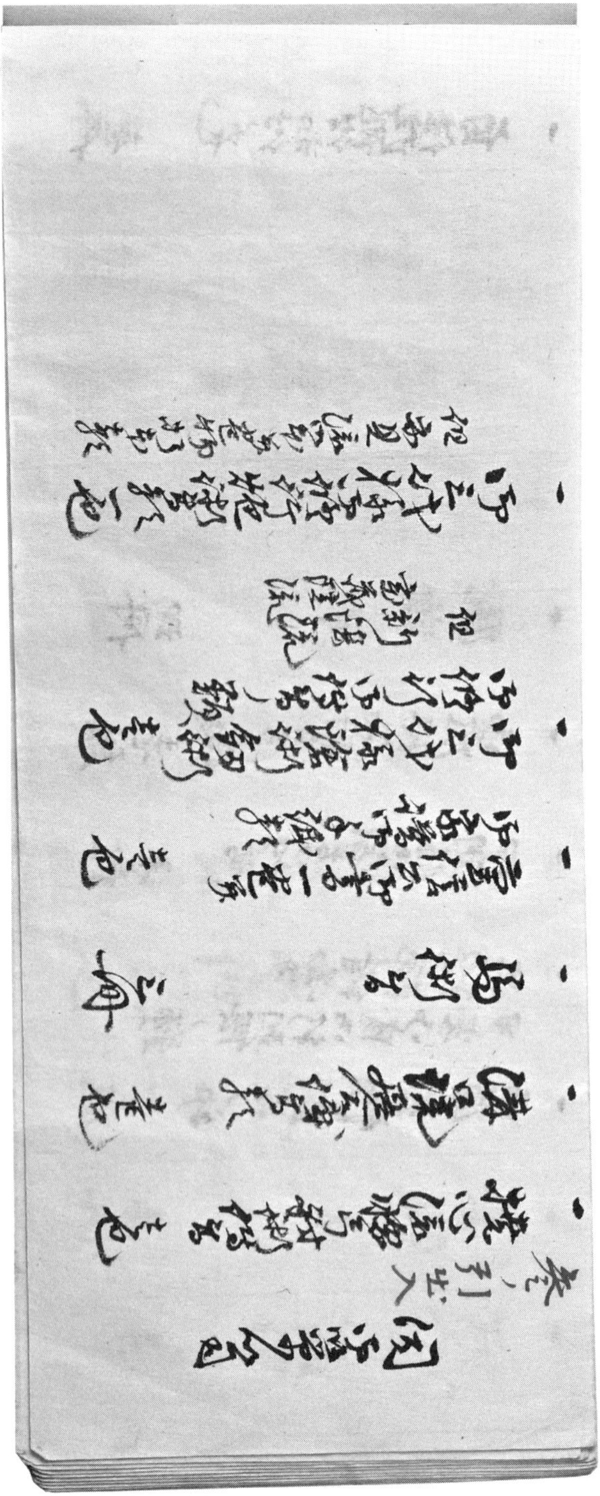

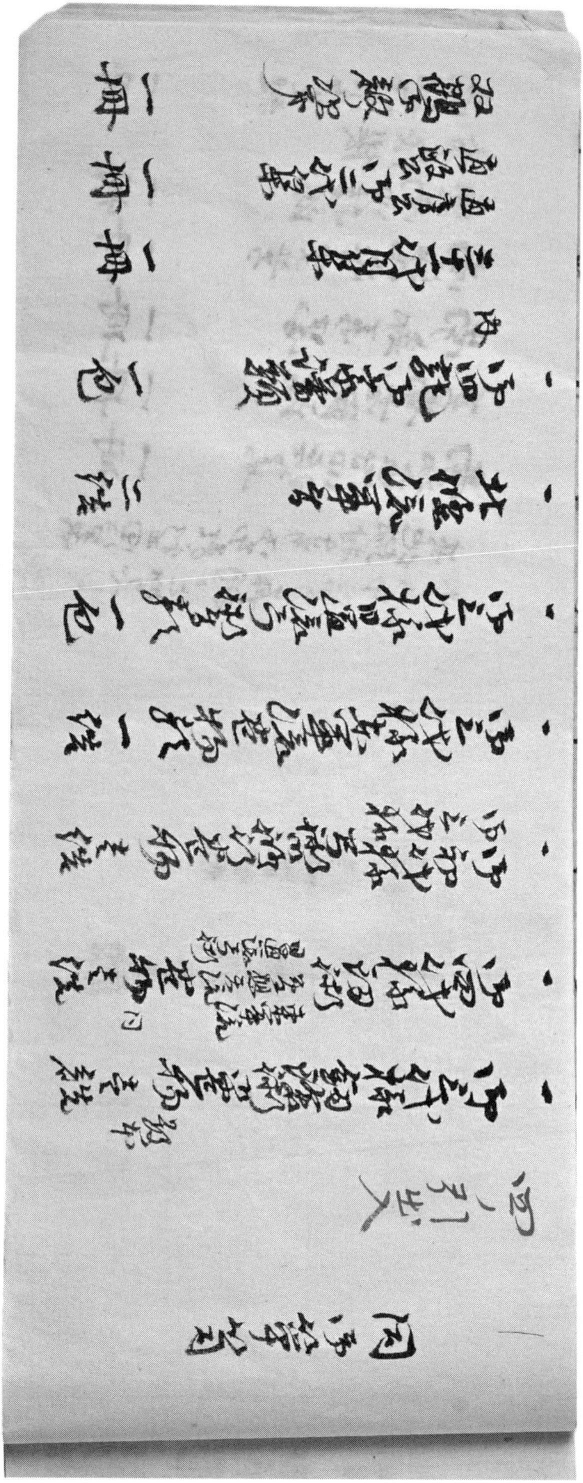

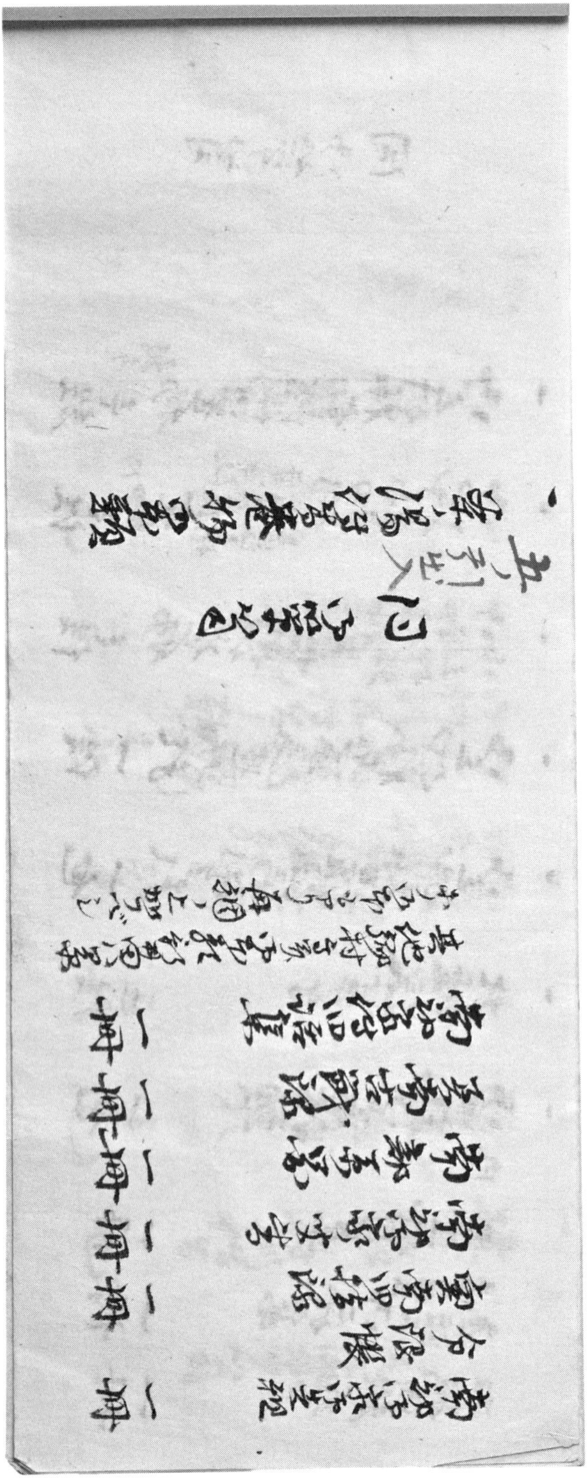

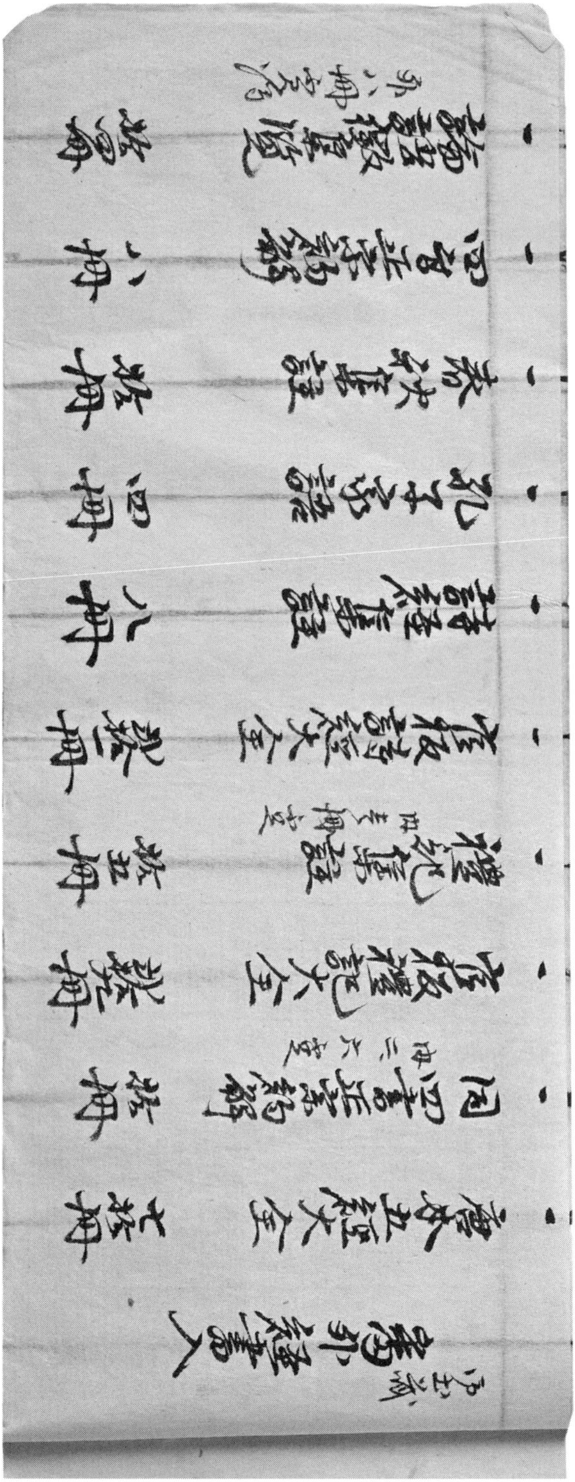
一 唐本五経大全 七拾冊
一 同四書正宗約解 内二六不足 拾冊
一 官板礼記大全 弐拾九冊
一 礼記集註 内壱冊不足 拾五冊
一 官板詩経大全 弐拾一冊
一 詩経集註 八冊
一 孔子家語 四冊
一 春秋集註 拾冊
一 四書正宗約解 八冊
一 論語徴集覧 外八冊不足候 拾四冊

一　小学句読集疏　拾冊

一　文選六臣註　内ニ冊重トアリ　三十冊

一　書経大全　拾壱冊

一　書経集註　六冊

一　尚書　揃本　壱冊

一　字本　韻書ノ内　壱冊

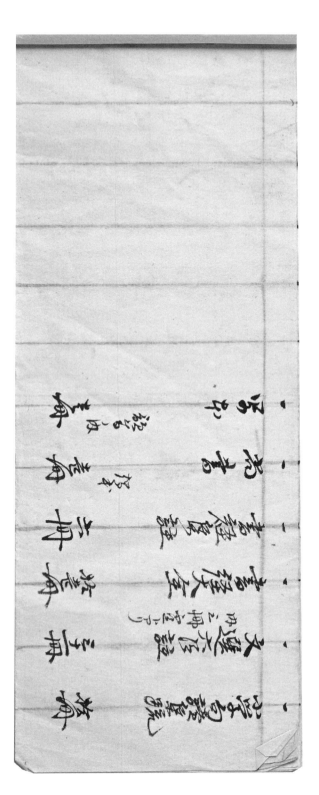

【編者・執筆者紹介】

鈴木 淳世（すずき・よしとき）

1983年生まれ。2016年一橋大学大学院社会学研究科博士後期課程修了。現在、東北大学東北アジア研究センター上廣歴史資料学研究部門学術研究員。博士（社会学）。専門は日本近世史・思想史。

［主な著書・論文］

「「国産」政策の「御救」機能」（『歴史』第133輯、2019年）、『近世豪商・豪農の〈家〉経営と書物受容』（勉誠出版、2020年）、「「別家」意識の成立と展開」（『八戸市博物館研究紀要』第33号、2020年）、「徳島藩組頭庄屋の風俗統制」（小酒井大悟・渡辺尚志編『近世村の生活史』、清文堂出版、2020年）、「明治期地方書籍館の「知」」（『歴史学研究』№1031、2023年）ほか。

書誌書目シリーズ125

八戸《はちのへ》書籍《しょせき》縦覧所《じゅうらんじょ》関連《かんれん》資料《しりょう》

―日本《にほん》最古《さいこ》級《きゅう》の図書館《としょかん》・八戸《はちのへ》市立《しりつ》図書館《としょかん》の源流《げんりゅう》

第二巻　八戸《はちのへ》南部家《なんぶけ》書目《しょもく》

二〇二四年十一月十五日　印刷
二〇二四年十一月二十七日　発行

編集・解説　鈴木淳世
発行者　鈴木一行
発行所　株式会社ゆまに書房
〒一〇一―〇〇四七
東京都千代田区内神田二―七―六
電話〇三（五二九六）〇四九一（代表）

印刷　株式会社平河工業社
製本　東和製本株式会社
組版　有限会社ぷりんてぃあ第二

定価：本体18,000円＋税

ISBN978-4-8433-6870-1 C3300